ムリめの彼　気のない彼　愛が冷めた彼

大好きな人が振り向いてくれる本

ANNA
恋愛研究者

大和出版

はじめに　恋の体質改善で彼はあなたに夢中になる！

10代から20代にかけて、私にはすごくすごく好きな人がいました。

彼は私の生きる希望で、どんなことをしても彼の彼女になりたかった。彼と仲よくなって、好きになってもらって、彼女にしてもらうためなら、なんでもする！　と思っていました。

彼には私の愛の大きさ、真剣さをいつも伝えていて、彼のためにはかならず予定をあけましたし、モーニングコールも留守番もし、いつでも喜んで家に泊め、料理もつくりました。

だけど彼にはつねに彼女がいました。別れてもすぐに次の彼女ができました。いくら待っても私は、彼女候補にさえなることができませんでした。

どうしたら、彼は私を愛してくれるのだろう。どうしたら、彼女になれるのだろう。

なんと4年間。4年間も、毎日毎日そう思いつづけていました。

彼のことをいろいろな友達に相談しました。心に穴があくくらい毎日思いつめていて、初対面の人にも思わず相談していました。だけどだれも答えることができませんでした。

私は人の魅力というものに興味があったので、キャバクラやクラブで働き、ママや人気ホステスたちの接客を観察し、男性のあしらいかたを質問攻めにして、メモをとりました。お客さまや男性の友達にも恋愛に関する質問をしまくり、男性の感覚や発想をリサーチしました。

そのうちに男性は単純なパターンで動いているのではないか、ということになんとなく気づきはじめました。そして4、5年ほど前のある日、なんと天からの啓示のようにわかったのです。答えが公式として与えられたのでした。方程式が解けた！ という感じです。

この「解」が電撃的にひらめいてしまってから、さんざん人の話を聞いたり、観察したり、体験したり、考えたり、本を読んだり、男女問わずこの解について意見を聞きましたが、信頼性は盤石で、いっさいゆらぎません。

この本は「彼を手に入れる方法があれば、なんでもする！」と思いつめていた当時の私に、「じゃあここに書いてあるとおりにやりな。これをバイブルにして、あなたのエネルギーをすべて、このとおりやりぬくことに注ぎな」といってわたしたいという思いから生まれました。

約5000人の男性と話し、聞き、男性が女性を追いかける仕組み、愛する理由を知るにつれ、私のしていたことや心のもちかたのほとんどが間違っていたということ。

ここには、私が彼にないがしろにされつづけ、本命候補にすらなれなかった理由がすべて書かれています。彼に好きになってもらい、つきあいたいと思ってもらうには、なにが間違っていたのか、なにが足りなかったのか、すべて書かれています。

この本に書いたことは、私の知るかぎり、好きな男性に振り向いてもらうためにもっとも効率がよく、もっとも確率が高い方法、そして、いったんあなたに夢中になった男性が、あなたを愛しつづける確率をもっとも上げる方法だと思っています。

これらすべてがあなたにとってあたりまえのようになったとき、そこからが、あなたの本当の恋愛人生のはじまりになると信じています。

当時の私のようにバカ正直で一途な女性が、一人でも多く、自由にカンタンに恋愛を楽しめるようになることを心から願っています!

ANNA

目次 Contents

1st Stage

大好きな彼の〝気になる存在〟になる

――「ターゲットは彼」でも「人気モノ」になる心の溶かしかた

2nd Stage

振り向かせたい彼から誘われる

――「聡明」でも「ちょっとヌケてる」空気のつくりかた

3rd Stage

さぁ、いよいよ初デート

――「緊張でドキドキ」でも「最高のあなた」を演出する会話

4th Stage 彼にもっと接近する

――「駆け引きしない」でも「グッと心をつかむ」メール術

5th Stage

ついに彼のカノジョになる

――「エッチしない」でも「本命になる」ムードづくり

6th Stage

男ゴコロをちょっぴり振り回す

――「追わない」でも「トリコにする」振る舞いかた

7th Stage 本命中の本命でありつづける

――「したいことだけやる」でも「彼に尽くされる」方法

エピローグ✦

本当の幸せをつかむために

――「あなたが好き」でも「自分も好き」でずっと大切にされる

プロローグ

「100%かなわない恋」なんてひとつもない

――この方程式で
彼の「NO」は
「YES」に変わる

1　彼の心は変えられる

ほとんどの人は、人の心が変わると思っていません。

たとえば、気になる彼があなたに興味がない、彼女ができた、告白したけど断られた。

ここで、「NO」という答えが出たから終わりだ、と思ってしまいます。

その答えは固定していると思いこんでいて、まさか無限の可能性があるなんて思いもよらないのです。

お水をはじめる前の私は、きれいな女性ほどお客さまから人気があるものだ、と当然のように信じていました。だからナンバーワンはお店で一番きれいな人だと思っていました。

ところがホステスになってみると、ナンバーワンホステスやママの多くは一番きれいな人ではありません。むしろほかの女性よりもふつうだったり、地味な人がたくさんいます。

「え？　なんでこの人が⁉」と何度驚いたことでしょう。「もっときれいな人がたくさんいるのにどうして⁉」と不思議でしかたがありませんでした。

当然、最初に来店した多くのお客さまは、一目見て彼女を好きになったりしません。

ほかのもっと美しいホステスに目を奪われます。

そこで「この人は私には興味がないのね」とあきらめるのではなく、そこから自分のお客さまにしてしまうのがナンバーワンの力。

彼女たちにとって、「NO」からはじまるのがいつものことなのです。

そりゃあ、顔がきれいなほうが有利です。

だけどもしかしたら、美人のほうが顔に頼ってしまい、顔で気に入られなかったときに、あきらめるのが早いのかもしれないとも思います。

地味でとくに目立たない女性がナンバーワンになれるのは、彼女が**「男性が女性に求めているのは外見だけではない、そして男性の心はいくらでも変えられる」**ということを知っているからです。極端にいえば、あなたとナンバーワンホステスの中身を入れかえたら、あなたの顔かたちをした彼女は、あなたの好きな彼を高確率で落とせてしまうということです。

彼女たちにとって「NO」を「YES」に変えることは日常茶飯事。

彼女たちにできるのだから、あなたにもできます。

彼の「NO」は「YES」になるのです。

2　彼を振り向かせるために必要な3つのこと

あなたは気のない彼にいろいろアプローチをしたかもしれません。

話しかけてみたり、メールを出してみたり、思いきって食事に誘ってみたり……。

メールをしたら返事はくるけれど、彼からメールがきたことは一度もない。

食事に誘っても、忙しいとか予定がわからないといわれ、それっきり……。

話をしないことには、あなたのことをなにもわかってもらえないのに、その機会すらもてない。いったいどうしたら仲よくなれるのか、興味をもってもらえるのか、わからないですよね。かけひきとか、そんな以前に。

快傑熟女（古っ！）ばりにズバリいわせていただきますと、今のままつづけていても、おそらく彼を落とすのは無理です。

同じ原因のまま、ちがう結果を求めるのは、理屈からいっても不可能というもの。

あなたがもし現状とちがう結果を求めるならば、現状とちがう原因をつくる必要があるのです。

彼はあなたのことを知っている、だけどまったく脈がない。

それを、外見や職業も変わらない、男性についても無知、心の姿勢も同じまま、あれこれやって振り向いてもらうのはほとんど不可能です。

そう、現在あなたにまったく興味をもっていない彼が、あなたに興味をもち、惹かれるようになるためには以下の3つが必要です。

1　外見、職業、コミュニティの中での人気など、あなたの商品価値が上がること

2　男性の性質、ツボを知ること、男性に慣れること

3　あなた素材の本物オーラが出ること

どれか一つだけでもバリバリ変化があるはずですが、この3本柱の相乗効果なら、可能性のなかった恋愛がいっきに変わりはじめるでしょう。

私の例をあげますと、まず1の**「商品価値が上がる」**ですが、むかしはキモい女子ベスト3にランクインという栄冠を勝ちとりつづけ、たいへんきらわれていました。

内面からにじみ出るキモさがキモい外見に拍車をかけ、心身ともにキモさがスパーク。おかげで、フォークダンスでは2人くらいのやさしい男子しか手をつないでくれず、ほかのクラスからも「キモい人」ということで、私のことを見学にくるくらいでした。

男友達が私のむかしのアルバムを見ているとき、中学のころの写真をさして、素で「これオカン?」と聞きました。私は思わず「うん」と答えてしまいました……(笑)。写真を見せたほかの人には「この顔や雰囲気はあまりに暗くておかしい。悪い霊がとりついている」と真顔でいわれたことも。

こんな私ですが、芸能人をお手本にして「ひとりビューティーコロシアム」を2年間おこなった結果、一目惚れや待ちぶせというものをされるようになり、男子校のねるとん(カップリング)パーティでは一番人気になり、有名な写真家たちや銀座、六本木の高級クラブからスカウトされるように。

外見による商品価値のUPは、わかりやすく人生を変えてくれます。

2の**「男性を知り、男性に慣れること」**は1よりもむずかしかったです。なぜなら見てわかるものではなく、だれも教えてくれないので、経験を通じて学ぶしかなかったから。

お店の子たちは軽々と男性を転がしていて、手しかつないでいないのに毎月何十万と振込んでもらったり、いろいろな人にあれこれブランド品などを買ってもらっていましたが、他人の気持ちがわからない&バカ正直なだけの私には、それが魔法にしか思えませんでした。

だけど男性共通の性質を10年以上かけて体得した今なら、それが魔法でもなんでもないことがわかります。

その結果、男性がみんな弟とか子どものようにかわいい存在に思えるようになりました。こうなると、男性という生物と、自由に楽しくかかわれるようになります。また、人に好かれるようになり、1の商品価値もさらにUPします。

3の**「あなた素材の本物オーラが出ること」**ですが、いったいどうしたらいいかわからないですよね。だけどこれが一番、本当の意味であなたの人生を変える強大なパワーをもっています。しかもこれは、一瞬で変わることもあるのです。

今の私はなにも考えなくても、というかなにも考えないからこそ（?）、質の高い男性が寄ってきます。むしろ若くて商品価値があるときよりも、です。

なにかをしようとすると、助けてくれる人やできごとがやってきます。迷いとか悩みがなくてすごく楽です。そして迷いとか悩みがあっても、すごく楽です（笑）。

こんな私くらいでよければ、あなたもなれます。

むしろ私なんてじゃんじゃん追いぬいていってしまってください！

3　ズバリ！　恋愛方程式の解

数年前、いきつけの串焼き屋さんで、とつぜん「恋愛方程式の解」がおりてきました。

男性が女性を好きになる、そしてずーっと好きでいつづけてしまうための答えが、一瞬にして全部わかってしまったのです。

それを言葉にすると、

「私はあなたが好き。私は一人でいても楽しくて幸せ」


このメッセージを、言葉ではなく行動や存在のすべてから感じさせることができたら、人は人を好きになり、去ってはいかないのです。

もちろん、彼の前にとつぜん運命の女性があらわれ、あなたから去っていくことも、ゼロとはいえません。ただし、彼がはなれる可能性を最大限に低くすることはできます。

もう少しわかりやすくこの言葉を説明していきましょう。

このフレーズは、「私はあなたが好き」の要素と、「私は一人でいても楽しくて幸せ」の要素にわけられます。どちらもポジティブな言葉ですが、反対の意味でもあります。

恋の炎が消えるときというのは、彼の中で「私はあなたが好き」もしくは「私は一人でいても楽しくて幸せ」のどちらかの答えが出てしまったときです。

つまり「私はあなたが好き」という答えが出るということは、「私はあなたさえいてくれれば幸せなの。あなたがいないとまったく楽しめないの」というメッセージ「だけ」が彼に伝わるということ。

一方「私は一人でいても楽しくて幸せ」という答えが出るということは、「私にはあなたは必要ない。一人でいることで完全に満たされてしまうから」というメッセージ「だけ」が伝わるということです。

自転車に乗るときに、わたしたちは無意識に右にも左にも倒れないようにバランスをとっていますよね。どちらかに傾きそうになったら、無意識に反対側に重心を傾けてバランスをとりつづけているから、倒れずにずっと走っていられるのです。

それと同じように、彼の反応を見ながら、「私はあなたが好き」ばかりだと気づいたら、「私は一人でいても楽しくて幸せ」をふやし、逆に「私は一人でいても楽しくて幸せ」が多すぎるなと気づいたら「私はあなたが好き」をふやすというバランス感覚です。

この絶妙な感覚を保っていられれば、彼にとってのあなたの魅力はずっとつづきます。原理的に、一度あなたを好きになってしまえばどこにもいかれません。

一番わかりやすい、彼から見たイメージとしては、**「一緒にいるときは天真爛漫で大好き大好きと思いっきり甘えてくる彼女。だけど離れているときは、あいつのことだから、おれのことを忘れてほかで楽しくやってるのかなあ、とちょっとさびしくなる」**という感じです。

また、あなたの素材パワーが全開になると、意識しなくても自然と「私はあなたが好き。私は一人でいても楽しくて幸せ」になっています。

そしてこの解は、恋に悩んだりいきづまったりしたときのチェック機能でもあります。

彼の態度が冷たく思えるとき、彼にふられたとき、多くの場合「私はあなたが好き。私は一人でいても楽しくて幸せ」のバランスが崩れているはずです。

原因がわかれば、あなたのパニックはおさまるでしょう。

この言葉をもっとシンプルにしてしまうと、**「あなたを大好き」「私も大好き」**ということ。

だから彼を冷たくつきはなす必要なんてまったくないのですよ！

4　男性の7つの性質

男性は「恋愛で知っておくべき7つの性質」をもっています。

〈7つの性質〉

1. 性欲が行動の基準である
2. プライドが行動の基準である
3. 女性を喜ばせて自分の能力を証明したい
4. 自分の「好きだ」という感情に気づかない
5. 好きな女性を追いかけて手に入れたい
6. 自由でいたい
7. いやしの場所がほしい

これらの7つの性質を知った上で行動すると、彼のツボをつけるので効率がよくなります。

また、彼がなにを考えているのかが読めるので、おろおろせずどっしりかまえていられます。

1. 性欲が行動の基準である

男性は、ほとんどいついかなるときでも、新しい、いろいろな女性とセックスをしたい生きものです。そのパワーは私たちの想像をはるかに超えて、すごいのです。

とくに30歳くらいまでの男性は「セックスしたい」という思いの合間に仕事や趣味のことを考えるというくらい、女性を見ると反射的に「セックスしたい」と思うくらい、性欲パワーはとてつもありません。

2. プライドが行動の基準である

プライドとはつまり、「おれはすごい」「おれはほかのやつらとはちがう」「おれは一番だ」「おれはデキる」という思いのこと。群れの中にいながら、「おれだけはほかのやつらとはちがうんだー!!」と叫びたい強い強い自我のことです。男性は、「おれはすごいんだ」ということを証明し、感じるために、ほとんどすべての行動をしているといっても過言ではありません。しかしだからこそ、「自分はだめな男だったらどうしよう……」と常におそれていて、とても評価に敏感で傷つきやすく、よくも悪くもプライドにがんじがらめなのです。

3. 女性を喜ばせて自分の能力を証明したい

男性には、自分のしたことによって女性が助かったり、喜んだり、楽しんでいたり幸せそうにしているのを見ることで満たされる、という性質があります。

なにかをしてもらうよりも、「彼女はおれがいないと困るんだ、おれが必要なんだ」「こんなに彼女を助けて幸せにできるおれはすごい」と感じるほうがうれしくなります。感謝下手な男性が多いのはそのためです。

また、彼らは自分があれこれやってあげたり助言をしてあげて助けた女性、無邪気に喜んでいる女性を、とてもかわいいと感じます。

4. 自分の「好きだ」という感情に気づかない

男性は自分が「この人を好きだ」と思っていることをはっきりと自覚してしまったら、「彼女はおれのことを好きなのか」「つきあえるのか」というような「結果」「勝ち負け」をつけなくてはならない、とどこかでおそれています。

だから男性は、自分の思いをつきつめないことで、今のどっちつかずのままでいられると無意識で思い、自分の感情に気づかないようにしようとすることがあります。

また、女性はいつも好きな彼を大事だと思っていますが、男性はなにかきっかけがあったときに、彼女を大事だとか一緒にいたいと自覚する傾向があります。

たとえば仲間と旅行にいって素晴らしい景色を見たときに「これを彼女に見せたいなあ」と思ったり、トラブルがありすごいストレスを感じたときに、無性に彼女に会いたくなったりし、そのときに自分が彼女を必要としていることに気づくことが多いのです。

5. 好きな女性を追いかけて手に入れたい

男性は「おれが」ほしいと思った女性を、「おれの力で」手に入れたいのです。

好きな女性、価値のある女性を追いかけていたい、獲得して自分の能力を証明したいという性質があるからです。

また、「この世のすべての進化や進歩は、男性が女性にいいところを見せたかったから実現したのだ」という説があります。男性にとって、「女性に自分を認めさせたい」「手に入れたい」というのは、本能的なレベルでそれほどの原動力になるということです。

6. 自由でいたい

男性は自分の自由をうばう存在には、反射的に牙をむきます。うっとうしく、邪魔だと感じるのです。

また、「自分のしたいことができなくなる」と思うと、本能的にそこから脱出したくなります。そして「○○させられている」と感じると、うんざりしていやになります。

「自分がしたいからしている」と思わないと、とたんにやる気がなくなるのです。

7. いやしの場所がほしい

男性は社会でいつも闘わなくてはなりませんし、感情を出すことも禁じられています。

だからこそ彼らは、いやされ、安心できる場所を、意識的にせよ無意識的にせよさがしています。自分が否定される恐怖をやわらげてくれ、自信で満たしてくれる女性は、かけがえのない、いやしの存在です。彼女にだけは、弱音をはいたり甘えることができます。

また、自分のいやされる場所を聖域のように扱い、そこをおかされたくない、守りたいという思いをもっています。

5 「草食系男子」や「ウケミン」について

最近話題の「草食系男子」とは、女性にガツガツせず、女友達と泊まっても眠るだけでなにもない、また女性に告白したり、デートに誘ったり、プレゼントしたりというわゆる男性らしい行動が少なく、彼女とも友達のような関係でいるような男性のこと。

また「ウケミン」とは、恋愛で傷つくのを極度におそれていて、好きな人にたいしても受動的で、自分からはほとんど行動しないタイプをいいます。

彼らはがっつかないので意外とモテます。また、誠実で浮気をしにくい傾向があります。

これらのタイプは一見、男性の7つの性質が淡白で、とくに「性欲が行動の基準である」「好きな女性を追いかけて手に入れたい」がきわめてとぼしく見えます。彼らは恋愛に熱くなりにくく、またあまり自分を出さないので、熱くなってもわかりにくいのです。

彼らの本心はわかりにくいので、表面の殻を突破するのがむずかしく感じますが、後述の**「落としかたの基礎」、とくに1を重視してなつくように攻めると、ちゃんと効いています。**

個人的な研究からいえば、人によって多い少ないのちがいはあれ、彼らの内側には一応性欲もプライドもあり、思考回路は男性的で、7つの性質は基本的にあてはまるようです。

復習テスト
大好きになってもらうための基礎知識

これまで出てきた要点を、覚えていますか？
いざというとき覚えていたら助かることも！
とりあえず覚えておこう。

1．恋愛がうまくいくための「恋愛方程式の解」とは？

「私は○○○○○○。私は○○○○○○○○○○○○○。」

2．恋愛で知っておくべき男性の7つの性質とは？（順不同）

- 「○○でいたい」
- 「○○が行動の基準である」
- 「○○○○が行動の基準である」
- 「○○○の場所がほしい」
- 「好きな女性を○○○○て○○○○たい」
- 「自分の「○○○」という感情に気づかない」
- 「女性を○○○○て○○○○○を証明したい」

6　あなたと彼の関係は5段階のどこ？

左ページの図は、あなたと彼の力関係（情熱や盛り上がりの量）を簡単に5段階にわけたものです。

この図でなにがいいたいかというと、（とくに恋愛における）二人の関係には**彼が一方的に押している〜対等〜あなたが一方的に押している**というグラデーションがありますよ、ということです。

1はあなたが優位ということ。そして5はあなたが劣位ということです。

恋愛における二人の関係はつねにこの5段階のどこかにあてはまります。

また、一つひとつの言葉、行動、できごとによって、ある段階にとどまりつづけることなく変化します。

友達だと思っていた女性を好きになってしまった、利用していると思っていた女性がいなくなって、はじめてありがたみがわかったなど、固定された関係はなく、逆転につぐ逆転は世界中で毎秒おきているのです。

恋愛における二人の力関係

1. あなた：彼＝　0：10　または　1：9

彼が一方的に追いかけてくれて、あなたをお姫さま扱いしてくれる関係

2. あなた：彼＝　2：8　または　3：7　または　4：6

彼が好きになってくれ、あなたはまんざらでもない～こられたら相手してもいいかなという関係

3. あなた：彼＝　5：5

お互い同じように近づきあって、対等な関係

4. あなた：彼＝　6：4　または　7：3　または　8：2

あなたが押していて、彼はまんざらでもない～こられたら相手してもいいかなという関係

5. あなた：彼＝　9：1　または　10：0

あなたが一方的に押していて彼は気がむいたら相手をする～完全に眼中にない関係

7 「ステータス」が高い人はモテる

モテオーラとは余裕のこと。余裕は魅力です。

この本では**余裕な状態を「ステータスが高い」、必死な状態を「ステータスが低い」ということにします。**このステータスという言葉は、いわゆる社会的ステータスとはまったく関係ありません。貧乏で地位のない男性でも、あなたが必死に追いかけていて、彼はあなたにどう思われようと関係ないなら、彼のステータスは高いのです。

ステータスの高低と前ページの5段階の関係性はほとんどの場合一致しますが、相手を追いかけている関係でも、ステータスが高くあることもできますし、対等な関係なのにステータスが低い人もいます。ステータスが高いほど、モテオーラが出ていてモテやすいといえます。

ステータスが高い

- **相手がどうあろうと、自分がありたいようにある、したいようにする**
- **相手に執着がない、相手にどう思われてもかまわない**

・マイペース、わがまま
・ひょうひょうとしている
・成熟している人の場合、「なんとか好かれよう」ではなく、「喜んでもらおう」として行動をする
・「きらわれないように」ではなく、「悲しませないように」と行動をする

ステータスが低い

・相手に好かれたい、というのが行動の基準
・相手の顔色をうかがい、いつも相手に合わせている
・相手にとても執着していて、どう思われているのかをいつも気にしている
・相手のペースに合わせる
・ガツガツしている
・きらわれたくないので自分のことはガマンする

8 「あなたに気のない彼」だからこそステキ⁉

あなたはどこかで「私に気のない彼だからこそステキ！」と思っていませんか？

なんと私たちは、自分に夢中にならない人「だから」魅力を感じて好きになる、ということが多々あります。

もしも彼が本当にあなたの思いどおりになったら、うれしいのはほんのしばらくだけで、人間ってあっという間に、「今あるものがあたりまえ」になるという性質があるのです。

彼が自分の思いどおりになるかどうかわからないから、結果がわからないから、ハラハラできて楽しめるのです。トランプもマージャンも、ぜったい勝つのがわかっていたら、やる意味がありますか？　勝つか負けるかわからないから、楽しいのですよね？

同じようにあなたは、好きな彼が思いどおりにならないから、楽しいしおもしろいのです。

もしも彼がなんでもいうことを聞いてくれて、あなたがなにをしてもあなたに夢中なら、すごくつまらないのです。

さらに人間には、**「思いどおりにならない人は、価値があってステータスが高い存在」「思いどおりになる人は価値がなく、ステータスが低い存在」**だと感じる性質があります。

つまり、**手に入らないものほど貴重だと感じる**のです。**とくに自分に自信がない人ほど、思いどおりにならない人間に価値をおいて執着する傾向にあります。**

だから無意識で片思いを望む女性は、彼がいざ5段階の3の対等、または1か2、そしてあなたのステータスが高い状態になってしまったら、急に飽きてしまったりします。

売れっ子ホステスやママは、ほとんどの男性を把握できるので、ステータスが高くなり、その結果つまらなく感じています。

だから多くの男性を好きなようにできるというのは、あなたが今思っているほど楽しいことでもなく、ただの日常なのです。

そしてやはり、彼女たちがハマって振り回されてしまうのは、彼女の思いどおりにならない、彼女たちにとってステータスの高い男性だったりする、という皮肉があります。

社会的ステータスの高い、でも彼女にとってステータスの低い社長さんよりも、社会的ステータスは低いけれど思いどおりにならないダメホストが、彼女にとってはステータスが高く、夢中になってしまうこともあるわけです。

9 勝率を81倍にする決定的なポイント

片思いの大部分が、よく知らない彼をアイドルのように偶像化して夢中になって、「好き」といっていると感じます。「いつも片思いで終わる人」「いつも両想いになれる人」の決定的なちがいは、以下のことを知っているかどうかです。

それは、**「憧れの彼もただの男。あなたと同じただの人」**ということです。

自分のステータスを勝手に下げない、ということでもあります。

でも、**本当に彼に興味がもてると勝率が81倍になります**（81倍というのはなんとなく。1%が8割になるイメージで。笑）。それに、「彼だってただの人だ」という感覚がないと、本当の興味はもてないもの。なぜなら、彼にたいしてうわついていて、会話が表面的になったり、ミーハー的な関心になったりしてしまうから。

うわべのコミュニケーションでは、彼の心にひびくものがないでしょう。

彼もあなたと同じ人間だという感覚をもっていてこそ、彼が今うれしいのか、かなしいのか、彼がいいたいことはなにか、求めているものはなにかがわかります。そうすると、ハートとハートがじかにふれあっているような感覚を共有することができるのです。

だれだって、等身大の自分を理解してくれ、受け入れてくれる人にたいして心を開くし、ホッとするものです。だから多くの男性は、顔のきれいなだけのホステスよりも、見た目は地味でも器の大きいホステスのところに、何度も通うようになるのです。

憧れている気持ちのまま、彼をトリコにするのはかなりむずかしいでしょう。

なぜならあなたが彼をアイドル視することで、勝手に距離をつくってしまっているからです。あなたの中で、彼のステータスを祭りあげているのです。

彼との距離がぜんぜん縮まらないのは、あなたのほうに原因があるかもしれませんよ。

実際、彼が夢中になってくれると、あなたにとってはただの現実になります。好きな人と両想いになる、トリコにすることは、実現するときにはとてもふつうで現実的なことなのです。逆にそうなるからこそ、あなたは彼をトリコにすることができる、ともいえます。

【特別レッスン1】落としかたの基礎

落とす基本原則……目的は彼の頭を「♪」と「?」でいっぱいにすること
1. 人間としての好意・興味・尊敬・関心を示す
2. 相手が出さないかぎり、恋愛感情は出さない
3. 相手が恋愛感情を出してきたら、相手と同じか少なく出す

1. 人間としての好意・興味・尊敬・関心を示す

あなたがある男性を狙っている場合、まずあなたは彼のことを、**あくまでも人間として興味があって尊敬している、人として好きだというスタンス**でいることが、あなたにとってのリスクがまったくなく、彼と仲よくなれて、好きになってもらえる可能性が一番高くなる基本です。

人は自分に純粋な関心をもつ人に、好感をもってしまうもの。どんな人間にも、「自分を正確に、ちゃんと理解して、受け入れてほしい、好きになってほしい」という根源的な願望が

あります。だからこそほとんどの人間は、その願望を満たそうと自己アピールばかりに気をとられて、相手の人間そのものに興味をもつことができません。

そんな中、あなたが彼をちゃんと正確に理解しようとし、さらにそのまま受け入れることができれば、彼にとってあなたは貴重な理解者であり、味方であり、仲間だと認識されるでしょう。そして彼は、あなたを見たり会ったり話したりすると、安心感を覚え、うれしくなるでしょう。そうやって、彼の心に「♪」をうえつけるのです。

せっかく彼を知るチャンスなのだから、自我は消してとにかく吸収しましょう。

そうすれば彼にどうしていけばいいのか、彼はなにをよろこんでなにをいやがる価値観の持ち主なのかが自然とわかってきます。

彼に興味をもってもらいたかったら、彼に興味をもち、興味を示しましょう。

あなたをアピールするよりも、**彼にアピールする場を与えることこそが、彼に対する一番のアピール**になるのです。

去年、「結婚したい！」といってお見合いをしまくっている女性から「お見合いが成功するコツを教えてください！」と聞かれ、こう答えました。

「男の人は自分をわかってもらいたいの。話を聞いてもらいたくてしかたないの。だからあなたは話さなくていいから、とにかく聞いてあげなされ。興味をもって目を輝かせて、質問しながら聞いてあげなされ」と。

彼女はけっこう話す女性だったのですが、それを聞いてすぐに実行にうつしてくれたところ、なんとそれからのお見合いは全戦全勝でした。みんな彼女を気に入ってしまったのです。

彼女の感想は「男の人があんなに話すのが好きだったなんて知らなかった！」でした。

2. 相手が出さない限り、恋愛感情は出さない

相手が恋愛感情を出してきていないうちから、あなたが出すのをやめることで、「手づまり」になる危険を避けることができます。

恋愛感情を出す、とは「必要がないのにメール、電話をする」「二人だけで会おうとする」「家にいこうとする」「恋人や好きな人の有無を聞く」「好き、会いたい、つきあいたいなどという」「頼まれていないのにプレゼントをあげる」「世話をやく」など、「彼と近づくことだけを目的とした言動」です。

あなたも想像してみてください。もし気のない人から「好き」「デートして」「つきあって」といわれたら、断りかたを考えるのも面倒になりませんか？

お茶くらいならいいと思ったとしても、相手が恋愛感情をもっているのを察したら、脈があると思われて、距離をつめてこられるのはこまるので、断っておこうと考えませんか？

そうなると、その人のことを警戒してしまいますよね？　なにもなかったようには、なかなか話しづらくなりますよね？

つまり、それまでは友達や同僚としては対等の関係だったとしても、恋愛感情を出した瞬間に、恋愛感情を出した側の立場が低くなるということです。

さらに！　あなたは彼を褒めて気に入っている様子なのに、彼を誘わないし近づいていかないことで、「おれのことどう思ってるのかな」と彼の中に「？」をつくることができます！

3. 相手が恋愛感情を出してきたら、相手と同じか少なく出す

例をあげて説明すると、もしあなたが、「彼のためなら死ねる！」と思いつめていても、彼が「じゃ、明日もバカ話しよーぜ！　またな！」というくらいのテンションなら、あなたも「はーい、楽しみにしてる。気をつけてね！」と同じ程度に見せるということです。

シーソーを思い浮かべてください。シーソーの片方に5歳児が乗っていたとして、もう片方におすもうさんを乗せたら、5歳児は、はね飛ばされますよね？

「彼のためなら死ねる！」という思いは、彼のもりあがりにくらべると小錦ですよね？

もちろん彼のその態度も、本心なのか、本当は「彼女のためなら死ねる！」と思っているのかはまだわかりません。しかしとりあえずは表面上の態度を目安にしてください。

恋愛は相手とのバランスを見ながらすすめていかないと、あっという間に手づまりになってしまいます。そして相手とのバランスを見ていれば、あなただけが一方的に尽くして粗末に扱われたり、彼女になれずセフレのまま一人で泣く、ということもなくなるのです。

結論として、**恋愛感情を出さず、かつ人間としての好意は思いっきり出す**、というこのバランスが、基本的に一番落とす確率を上げる王道だと思います。

この基本スタンスの素晴らしいところは、好きになってもらう可能性を一番大きくする上に、あなたは「映画にいこう」とも「好き」と「つきあいたい」ともいわないので、ふられたり断られたりして傷つくリスクがないということです。

また、この基本スタンスが身につくと、自然とモテオーラ、つまり余裕も身につきます。

そして彼の頭を「♪」と「？」でいっぱいにしてしまうので、あなたは彼の「気になる存在」になれる可能性がとても大きくなるのですよ。

さて、ここまでお読みいただき、あなたはどのように感じられたでしょうか。

今まであなたがもっていた意識は変わりはじめましたか？

次章からはこれらの考えをふまえた上で、実際の場面でどのようにしたら彼に振り向いてもらえるようになるのか、夢中にさせることができるのか、ご紹介していきます。

大好きな彼と幸せになる方法、さぁ、さっそく見ていくことにしましょう。

1st Stage

大好きな彼の〝気になる存在〟になる

——「ターゲットは彼」
でも「人気モノ」
になる心の溶かしかた

1 「オンナ」のオーラで本能にうったえる

男性は女性に会うと、瞬時に「セックスしたいか、したくないか」、さらにしたくない中でも、「しようと思えばセックスできるか、できないか」にわける生きものです。自動的にわかれてしまうのです。

もしあなたが不運にも「セックスしようとしてもできない」に分類されてしまったら、女性として好きになってもらうのはほとんど不可能といってもいいかもしれません。

なぜなら、女性として見られる見られないは、理屈ではなくて本能の部分だからです。

だからこそ好きな彼に振り向いてもらいたい、愛されたいのなら、「女性らしさ」、もっといえば「セックスアピール」は必須。

男性は女性とちがって、女性のことを「この目の二重が好き」とか「あんな細い二の腕がいい」という風に見るのではなく、全体のイメージでつかみます。だから、どんよりしている、だけどよく見ると目鼻立ちは正真正銘の美人よりも、顔はチョイブスでも「いい女風」「なんかエロい」など、「オンナ」を感じさせる雰囲気美人のほうがグッとくるものです。

まずは**あなたの「オンナ」をただそのまま意識し、彼が好き、恋人がほしい、彼の体に触れたい、など素直に思う**ことで内面から「自然な媚び」を出しましょう。

そして「女装」しましょう！

女装は、見た目がオンナっぽいということのほかに、男性にたいして「女性として見られようとしていますよ」「扉があいていますよ」ということを伝えるメッセージでもあります。

また、男性に女性としての色気を感じさせるためには、**触りたい！と思わせる雰囲気**が大事。男性は自分にはないもの、やわらかいものに触りたがる性質があります。長い髪、きれいな髪、ほほ、腕、肩、胸、太もも、腰まわり、唇、これらをきれいに見せましょう。

とりあえず基本ということで、ノースリーブのタートルを着て、スカートをはいて、髪をちょっと茶色にして軽くして、眉を整えてマスカラと口紅を塗ってみてください。

また、女性のあなたが自分で太すぎると思っていても、細すぎるより太いほうが好きな男性がほとんどですので、今日からスカートを！

ちなみに、男性が好きな女性の最大公約数は**「女子アナ」**です。参考にしてみてください！

まとめ　さぁ、「女装」をはじめよう！

2 「ひとりビューティーコロシアム」で美しく変身

「ビューティーコロシアム」というテレビ番組を知っていますか？　外見のコンプレックスに苦しんでいる女性たちが、美容整形、エステ、ヘア、メイク、ファッション、それぞれの美のプロフェッショナルたちの手で、美しく変身するという人気番組です。

なんとこの番組関係者によると、変身後の収録にテレビ局にきたときの彼女たちは、美容整形やダイエットを終えているのに、ほとんどイメージが変わっていないのだそうです。

ところがヘア、メイク、ファッションを変えると、劇的に生まれ変わるのだとか。

ということは私たちも、目鼻立ちや体型はそのままであっても、別人のように美しくなれるということです。

私は街でも電車でもテレビでも、いろいろな人を見ては勝手に想像して遊んでいます。

「この人はあと10キロやせて、眉毛を整えて、髪に軽くシャギーを入れて巻いて、ピンクのワンピースを着て、ヒールのサンダルなんかはいたら、すごくきれいになって人生が変わるだろうなあ」とか、「この人はメイクをとって髪を上げたら目も小さくて地味な顔なのに、上手にメイクして体のラインがきれいに見える服を着て、よく研究して美女オーラを出しているなあ」とかシミュレーションしています。

そうして見ていると8割をこえる人たちは、どれだけ手をかけて可能性を引き出したかで、ブスにも美女にもなるくらい、美しさレベルが変動するのではないかと感じます。

きれいな女性は、自分がどうしたら美しく見えるかを研究し、わかっていて、実践しています。それはもうクセになっていて、毎日「ひとりビューコロ」をしているわけです。

もしあなたが外見を底上げしたいのならば、「ひとりビューコロ」をオススメします！

それにはやはり、テレビや雑誌で芸能人やモデルを参考にするのがいいでしょう。

また、雑誌にはメイク法や流行りのファッションの特集もたくさんありますよね。

しかし最初はなかなかむずかしいもの。なのでデパートでマネキンが着ている洋服を上から下まで買ってみる、プロのスタイリストやメイクさんにお金を払って頼む、デパートの化粧品カウンターでメイクしてもらい、全商品お買い上げなどで、まずは思いっきり変身してしまい、あなたの感覚を一気に底上げし、垢ぬけてしまうのもオススメです。

まとめ　はじめはプロのセンスを借りる

3 目指すは「じわじわ」と「いつのまにか」

ルックスという「飛び道具」がないナンバーワンホステスは、「じわじわ」「いつのまにか」という武器で、男性を好きにさせてしまいます。

だれよりも自分をわかってくれている、本当の自分が出せる、やさしく見つめてくれている、ホッとする、いつも気にかけてくれる、いくら話しても飽きなくて楽しい、おもしろい、二人になろうとしてこないし、彼女がいるかどうかもさぐってこない。

こういう、気楽で安心できる、やさしい友達のようなスタンスでいることです。

「落としかたの基礎（P38）」の基本スタンスを守っていると、彼の中にじわじわと入りこみ、いつのまにか彼にとって大切な存在になることができます。

そして彼の心に「♪」と「?」をつくり、気がつくとあなたのことを考えている、という状態にしてしまうのです。

彼があなたを気に入って声をかけてきて一生懸命口説いてくるパターンと、あなたに好意のない彼を落とすパターンはまったくちがいます。残念ながら彼は現在あなたに興味がないのです。だから目先だけを見て、あわてて二人になろう、つきあおうとすると、彼はびっくりしてしまったり、面倒になって逃げてしまう可能性が大きいので、注意が必要です。

先日お風呂の修理にきたイケメンのお兄さんに聞いてみたところ、「女性のお客さんからよく誘われる。お茶くらいなら気軽にいくかもしれないけど、いきなりガッツリとデートプランをたてて誘われても、よく知らない人と遊園地とかいかないよ」とのこと。

彼女は彼を気に入ったものだから、いっしょに遊園地にもいきたいし、海にもいきたい、つきあいたい。自分の中でイメージをつくってもりあがってしまい、彼のテンションや二人の関係が、冷静に見られなくなってしまっているのですね。

だけど彼の心が開く前に大きすぎる要求を出すと、彼は逃げ出してしまうのです。

普段から味方をしてくれていて、彼を肯定して受け入れてくれる存在だという安心感がもてれば、なにか問題がおきて不安になったときや自信がなくなったときに、恋人よりもあなたと話をしていやされたい、と感じるときがくるかもしれません。そう、むかしからいいますね、「急がばまわれ」と。あなたに関心がない彼にはこれがベストです。

まとめ 「味方」感で彼の心はほぐれる

4　一目惚れ！　もう二度と会えない彼に接近するコツ

ステキな人！　でも今日をのがしたらもう会えない……という場合。

まあ、彼もあなたと二度と会えないのをわかっていて、なんのアクションもおこしてこない時点で、どんな理由であれ今は「あなたと一生会えなくてもいい」と感じている、ということがわかりますが、「それでもとりあえずつながっておきたい！」という場合は、あなたからきっかけをつくるしかありません。

こういうときは、「あなたとデートにこぎつけようとしています」的なニオイは1ミクロンも見せないようにし、「さっきいった本、わかったら連絡します！」とか「次のイベントもぜひ参加したいので、案内送ってください♪」などといって連絡先を交換します。

気があると気づかれると警戒されるし、いきなりこちらのステータスが下がるからです。

全然話もしていなくて口実のつけようがない場合、もし私だったら、「うわぁ！　なんかふつうじゃないオーラ出てますよね？　すごいおもしろそうな人！　友達にもおもしろい人多いでしょ？　今度合コンでもしません？　友達キレイな子多いんですよ〜。メアド聞いていいですか？　でもメールしなくてもいいですか？（笑）」とかむちゃくちゃいって笑わせて聞くと思います。この場合も、やはり「かっこいい」「好み」という方面の気持ちはぜったいに見せません。そしてここで**重要なのは「憎めないキャラ」です。**

私たちが一目見て気に入るようなかっこいい人って、女性からアプローチされ慣れています。だから下心を感じさせてしまうと「またか……」と思われて、とくに好みでなければ「興味のない女性たち」という山にポイッと分類されて終わりなので、気をつけましょう。

ホステス仲間は、「見るからにかっこいい人には、むしろ『え？　かっこいいとかいわれるんだ』『なんであんたがモテるのか全然わかんない』くらいのことをいう」とのこと。

電話番号やメールをゲットしたら、一両日中に「かわいい友達が3人、合コンにきたがっています☆」とか「友達に話したら、ぜひ次のイベントにいきたいそうです！」など感じよく、「彼を人として好き、だけど狙っているわけではない」というメールを入れ、あとは基本スタンスでじわじわといきましょう。

友達などを巻きこんで「みんなで」というノリにすると、気軽に連絡が取り合えますよ。

まとめ　「みんなで」で「軽く」で一歩前進

5 彼がかならずオチる「心の命柱」をさがそう

人にはかならず、私が名づけた「心の命柱（いのちばしら）」の部分があると感じます。

あなたが彼のその部分を「クッ」とつかむことができれば、彼はあなたを完全に信頼し、降伏してしまうような場所です。もちろんあなたにもありますし、私にもあります。

多かれ少なかれ人はだれかに完全に受け入れられたいと思っていて、その部分を出せる、わかってくれる人を、無意識でさがしつづけているように思います。

「命柱」とは、人にわかってもらえないと思っていて、だけどすごく大切にしている繊細な「感情」のような、心の場所です。

では、どうやったら彼の「命柱」をつかむことができるのでしょう？

今回この本を書くにあたってあらためて考えてみたのですが、感覚の話なので具体的に言葉で説明するのが本当にむずかしい……。

そこをあえてがんばって言葉にするならば、相手と接するとき、つねに、**「あなたのすべては完璧です」という前提でいるという感覚**です。

「あなたがあなたを信じていなくても、私はあなたを信じています」という感覚です。

表面的には自分勝手でバカでどうしようもない人でも、それは波の表面のこと。あなたはゆるぎない海底、つまり彼の最高の部分だけを見つめて接しつづけるイメージです。

かつ、あなたも素直で正直でオープンでなければ、彼の心にはひびきません。

といっても、べつに「いつも微笑」とか「マザーテレサ」にならなくてもいいのですよ。表面上はいつものアホな（笑）あなたのままでいいのです。あくまで心のもちかたオンリー。

そのうえで、質問したり、そのままの彼を本気で知ろうとするのです。

そうしていると、多くの男性があなたの前で泣くようになるでしょう。

また、命柱をつかんでしまうと、ほとんどの場合、彼は素直な子犬のようになって毒気が抜かれてしまい、あなたにたいして駆け引きしようなどと思わなくなります。

「あなたが幸せになってくれるのが私の幸せ。あなたの相手が私であってもなくてもかまいません」と純粋に彼に興味と関心を持ち、彼のそのままを理解し受け入れれば、かりに恋愛関係になれなくても、あなたはきっと、彼にとって特別な存在になることでしょう。

まとめ　そのままの彼を「本気」で知ること

6 彼の弱音、「すくいあげるように」褒めてあげる

たとえば彼が、「君には会社の批判をえらそうにいってるけど、おれは小さい男だから実際会社にいっちゃうといえないんだよね……」と弱音を話してくれたら、どう返しますか？

「そういう人いっぱいいるよ、そのうちいえるようになるよ」「ガンといっちゃえ！」はＮＧです。「しょうがないよ、ふつういえないよ。私もそうだよ」はふつうです。

では、本当に心を溶かしてしまう返しはなんでしょう。

「あなたのそんなやさしいところが、いいんじゃないの」。私ならこういいます。

彼自身が自信なく後ろめたく思っているところを、「それがあなたじゃない」「そういうあなただからいいのよ」「あなたのそういうところ、私は好きだな」とまるごとすくいあげるように褒めてあげると彼はメロメロになる。

これは銀座で働きます、と報告したときに、あるベンチャー社長が教えてくれたワザです。

こういうと、「それじゃ彼が成長できない！」とあなたは思うかもしれません。

だけど、彼があなたに自分の欠点をいうときというのは、あなたの反応を怖がりながらも

わかってほしくて、そして楽になりたくて、勇気を出していっているのです。

だからまずそこを褒めてまるごと受け入れることで、心の不安や重荷を取りのぞいてあげると、彼は本当にあなたのことを信用して心を開いてくれます。

また、彼が細いのを気にしていたら「がっしりは苦手、細いほうが好き」、背が低いのを気にしていたら「背が高い人ってちょっと怖い」、リストラされて落ちこんでいたら「今いる場所だからこそ、見えてくるものがあるんじゃない？」など、彼が気にしているところを「それがいいんじゃないの」という論理で、すくいあげるように返してあげましょう。

人はみんな、人から評価されることが怖くて、緊張して生きています。

その中で、あなただけは自分をそのまま受け入れてくれる、ということが彼に伝わったとき、彼の命柱をあなたはつかみ、かけがえのない存在になることができるのです。

最後に、彼が弱っているときの、とっておきの殺し文句を。

全部聞いてあげたあと、笑顔で「私がいるじゃない」といってあげましょう。あなたがなにをしてあげなくても、彼は「ううっ、ありがとう……！」とすごく救われるのです。

まとめ 「私がいるじゃない」で彼は救われる

7 褒め言葉をハイパーにバージョンアップ

褒められてうれしくない人はいませんので、思ったことはどんどん褒めてあげましょう。

でもせっかく褒めても、ひねくれものの彼は、「褒めればいいと思っているんだろ」「適当に褒めやがって」と、うれしいくせに、いえ、うれしいものだから、かえって警戒してしまったりすることとあります。

そんなことのないように、大好きな彼に確実に届くように褒めてあげたいですよね。

そこで、**どんなことを褒めるにしても、かならず理由をつけるクセをつけてください。**

「ほんとすごいよね」といわれるだけでも彼はもちろんうれしいのですが、漠然としすぎていて、口先だけだと思われる可能性もあります。

それが、「ほんとすごいよね。前の会社で営業の人何十人も見たけど、仕事の相手にここまで気づかいしてる人なんていなかったよ」「ほんとすごいよね。今はじめてだよね？　教室でもみんなできたの3回目だよ。ほんとにセンスあるんだねえ」となったらどうでしょう？

「すごいよね」が一気に説得力を増し、もっともなこととして、すんなり入ってきませんか？

彼を褒めたいけれど理由が思いつかない、または言葉にならないときは、「ほんとすごいよね、とにかく『すごい』という感情だけが心に浮かぶよ」「ほんとすごいよね、圧倒されて言葉にならないくらい」などと、無理にでも一言つけくわえてください。ほとんど大喜利の世界ですが（笑）、それだけで彼は「そうか」と納得してしまうのです。

理由をつける効果は、絶大です。

たとえばあなたが友達とごはんにいって、いつものようにワリカンにしようとしたとき、友達が「いいよいいよ、私が出すから」といったら、「え、なんで？　友達なんだし私も食べたんだから」と払おうとしますよね？　だけど彼女が、「宝くじ5万円当たっちゃったの」とか「あなたの引越祝いだから」と理由をつけてくれたら、それが本当は後づけの理由だったとしても、「じゃあ、お言葉に甘えて」となりませんか？

理由は、言葉に有無をいわせぬ説得力を与え、相手に自然にそう思わせてしまう力をもつのです。だから褒めるときは、かならず理由もセットでつけるように心がけましょう。

まとめ　理由の威力で効率よく彼の心をゲット

8 「キレイな媚び」で彼の頭に住んじゃおう

「彼にとって居心地のいい存在でいればいいのはわかりました。でもそれだと友達のまま。いつになったら恋がはじまるのですか？」。あなたはこういうかもしれません。

はい、では「キレイな媚び」で彼に「♪」と「？」の両方をうえつけて「思わせぶる」方法で、彼の頭に住んでしまいましょう。

彼の頭に住むには、彼に「こいつはおれのことが好きなんだ！」と確信させず、「あれ、こいつおれのこと好きなの**『かな』？**」と考えさせることが必要です。

つまり、「あなた『が』好き」はダイレクトすぎて、答えが出てしまっているのでNG。

正解は、**「あなた『みたいな人』好き」**と伝えることです。

もしくは「あなたの『男らしいところが』好き」、声が低い人には「声低い人好き」など、直接「あなたが好き！」というのではなく、ワンクッションおく表現でドキッとさせ、「多分おれのこと気に入ってるよな」「好きなのかな？」と思わせるのがポイントです。

でも決定的なことをいったり、デートに誘うわけではなく、あくまで気をもたせるだけ。

もちろん彼だって「あなたが好き」といわれたらうれしいですが、そこで終わってしまいます。好きだといい切ってしまっては、彼は、あなたを好きなのか、これからつきあう気があるのかないのか、はっきりとした答えを出すだけになってしまい、それ以上ワクワクしたりドキドキしたりのもりあがりがないのです。

「あなた」と「あなたみたいな人」のちがいは一見小さいけれど、じつはプラネタリウムと宇宙のちがいくらい（ほんと？　笑）、とてつもなく大きいのですよ。

同じ効果をもつセリフには、「私が○○するのはあなただからだよ」「あなたとだからうれしいの」「あなたじゃなきゃこんなこといえない（できない）」「あなたとじゃないといきたくない」「一緒にいたのがあなたでよかった」など、無限にあります。

いかに好きといい切らずに、好きということを表現するかがポイントなのです。

「あなた『みたいな人』好き」といって「おれのこと好きなの『かな』？」と思わせつつ、決定的なことをいって踏み込むことはぜったいしない、ということの感覚です！

こうやって彼との関係に、恋のドキドキエッセンスを投入してみてくださいね。

まとめ　決定的なことはこちらからいわない

9 モテる彼とモテない彼、あなたはどう攻める？

あくまで私の個人的感覚ですが、男性は以下のようにわけられると思います。

《Aタイプ》1割未満くらいの割合：かっこよくてずっとモテてきた、自分のところにたくさんくる女性の中から選ぶ立場の男性

《Bタイプ》2割くらいの割合：おしゃれや話術、職業などでモテる男性

《Cタイプ》5〜6割くらいの割合：ふつうの男性

《Dタイプ》1〜2割くらいの割合：ほとんど、またはまったく女性に縁がない男性

さて、あなたの狙っている男性はどのタイプでしょう？

私の感覚では、**片思い女性の7割はAタイプかBタイプを好きになっている気がします。**

一部のモテる男性がたくさんの女性に好かれて、たくさんつきあったり関係をもったりする図式なのです。

タイプA・Bの多くは女性とたくさん接してきたため、女性の心理をよくわかっています。

女性と一晩だけの関係をもったり、セフレがいたりするのもこの3割に多いでしょう。

また、今まで「人間としての好意・興味・尊敬・関心を示す」ということを何度もいってきましたが、ことタイプAに関しては、人としての好意すら、出しかたには細心の注意をはらったほうがいいと思います。一つ失敗すると「こいつもおれに惚れたのか」と、ひとくくりにされて終わってしまうからです。

また、経験上タイプAと有名人は、仲よくなりかたのツボが同じです。

つまり、「かっこいい」「すごい」などいつもみんなにいわれることをいうと距離ができるので、ほかの趣味とか共通点で話すこと。そして素でいることです。

ルックスや本業のことではなく、まったく関係ない、たとえば囲碁とかネパールとか、彼が個人的にハマっていて仲間が少ないことの話題だと、対等に仲よくなれる可能性がすごく高くなります。だから、なにげなく彼の趣味を調べておくのもいいかもしれません。

また、経験上、タイプAには気を見せないほうが仲よくなれ、タイプC、Dには「落としかたの基礎」の1や「キレイな媚び」で好意をちらつかせるほうが、好かれやすいです。

人の気をひくには、普段、されなれていない方向からアプローチするのがコツなのです。

まとめ　コツは普段されていない方向からのアプローチ

10 人気モノになって、あなたの価値をUP！

あなたが好きなのは彼だけでも、彼以外の人からの評価はとても大事です。人間は「社会的な生きもの」だからです。とくにステータスやプライドが大事な男性ほど、あなたの価値がほかの人から見てどうなのかを気にします。

ある集団の中で上に見られると、その集団の人たちは、そのほかの場所でもずっと上に見てくれるという傾向を、私自身の経験から発見しました。そして逆も真なりです。

たとえば私は小中学校ですごくきらわれていたので、現在クラス会にいっても、私と話したがる人はほとんどいません。当時のクラス内での価値がずっとそのままなのです。

また、大臣になってえらくなってしまっても、高校時代に憧れだった女性（今はオバサン）には照れて話せなくなったり、大スターになっても、中学時代にアニキと慕っていた先輩（ふつうの会社員）には頭が上がらなかったりということ、ありますよね。

大臣になってから、またはスターになってから、同じ女性や先輩に出会ったとしたら、関係は全然ちがうはずです。だけど一度できた関係は、場所が変わっても、時がすぎても、変わらずに継続する傾向にあるのです。

だからあなたも女性の少ないところなど、自分に有利な場所にいくのがオススメ。

ある場所でチヤホヤされると、そのメンバーとほかの場所にいってもチヤホヤされます。

いったん、あなたのことをリスペクトする図式ができれば、それはなかなか崩れないので、最初はできるだけ、相対的にあなたが優位な場所にいるのがいいのです。

つまり同じ男性でも、最初から銀座のクラブで出会っていたら、会話上手の美女ばかりの中、あなたは目立たなくて大事にされなかったりしても、先に男性ばかりの将棋クラブで出会っていれば、今度は銀座のクラブにいっても大事に扱われるのです。

美しさなどという絶対的な価値だけでなく、集団の中での位置など、あなたの相対的な価値を上げることも、彼に貴重な存在だと思ってもらうのにはとても重要です。

つまり彼にとってのあなたの価値をUPさせるコツは、**1．その集団の中でほかの人からも好かれる重要人物になる、2．女性が少ないなど、あなたがチヤホヤされ、人気モノになれるような場所にいく**、ということです。今日から意識してみましょう。

まとめ　あなたに有利な場所にいく

11 心も「見えないオシャレ」で充実させて

あなたは、あなたの存在だけが生きがいになっている異性に魅力を感じますか？

最初は「こんなに思ってくれるなんて感激♪」とうれしく思っていても、いつでもあなただけをずーっと見つめつづけている、趣味も仕事もあとまわし、あなたの自由を束縛する、こういう相手は重く感じてしまって、なかなか恋心は持続できませんよね。

それは彼も同じです。あなたの生きがいが彼だけだと、すぐに彼はあなたをつまらなく、価値がなく感じるようになります。あなたのステータスはとても低く、あなたのことをもっと見たい、知りたい、という欲求があっという間に満たされてしまうからです。

反対に、一人の時間も楽しくすごしている人は輝いていて、追いかけたくなりませんか？

「下着のおしゃれ」のように、見えないところで充実している人は、底知れない奥深さや魅力を感じさせるのです。

そこで！　あなたの人生を満たしてくれる、「天職」の見つけかたをご紹介します。

天職といっても仕事である必要はなくて、趣味でも遊びでもいいのです。

それはズバリ、**「やりたいこと」「やれること」「やるべきこと」**。この三拍子がそろうもの。これがあなたの天職です。楽しくて真剣になれる、やりがいのあることであるはずです。

そういう時間や場所がある人間は、彼から見て尊敬でき、貴重に思えます。

男性にとって尊敬できる女性かどうかは、本命か遊びかの決定的なわかれ目。尊敬できない女性は無意識に低く見て、なんとなく適当にあつかってしまいがちなのです。

だけど、彼があなただけの時間について知っている必要はありません。なぜなら、あなたがあなた自身を大切にしていればじゅうぶんだから。そしてその「あなただけの時間」を、彼と遊ぶことよりも優先してリン！　としているあなたは、彼の尊敬の対象になります。

あなたは、彼にはいつでもやさしいし、彼に会えるとすごく喜びます。

だけど、あなたの大事なことを彼のために犠牲にしません。

このバランスがまさに「私はあなたが好き。私は一人でいても楽しくて幸せ」です。

そのことで彼と仲が悪くなったり彼がはなれていったりするどころか、そういう女性だからこそすべてを把握できなくて、奥深い価値を感じ、彼はもっと本気になるのです。

まとめ　大事なことを彼のために犠牲にしない

12 あなたの素材を追求して「あなたブランド」に

ミカンはミカンのままでいい。ミカンはやわらかい皮がやぶけて、果汁がジュッと出てくるのがおいしいわけです。それを否定してリンゴのシャリシャリ感を目指して自己嫌悪におちいっていてはもったいないです。

そもそもミカンとリンゴどちらがいい悪いではなくて、それぞれちがうもの。ちがうよさがあるのですから、ないものねだりは時間とエネルギーのムダです。

たとえばゆうこりんが叶姉妹をめざして、自分を100％否定して「こんなブス！こんな童顔いやだ！」というようなもの。ゆうこりんが胸のあいたドレスばかり着たり、いつも真っ赤なルージュをひいたりしたら、あのあどけない魅力が消えてしまいますよね？もったいないですよね？ゆうこりんはゆうこりんを追及するのが一番魅力的なのに。

あなたも自分ではないものになろうと、がんばりすぎではないですか？

今までナンバーワンホステスには、それほどきれいではない人もたくさんいるといいましたが、彼女たちのほとんどは、顔がどうとかを超越した「彼女だけのワールド」をもっていて、まわりの人をすごい引力でそこに引きずり込んでしまいます。

目が大きくない、顔がととのっていない、いいかげん。

なのに、「でもそれがまたいいんだよね！」となってしまうのです。彼女のすべてがブランドになって、男性だけではなく、女性も思わずファンになってしまうのですね。

私は10代のころずっと人気モノになりたくて、「人気がある人とそうでない人はなにがちがうんだろう？」と観察していました。そしてなんとその秘密を見つけてしまったのです。

それはいったいなにかというと、**人気のある人は「人気モノになろうとしていない」「好かれようとして行動していない」「自分のしたいように好きなように行動している」**ということでした。

今ならそのありかたが「ステータスが高い」からだとわかりますが、見つけたときは衝撃でした。人気モノになろうとするほど、そうなれないなんて……。

だからあなたも、あなたのまま、あなたの素材を追求するのが、一番オーラが出るし、特別な女性になってモテるのですよ。リンゴっぽくなったミカンはおいしくないもの。

まとめ　好きなように、したいようにする

2nd Stage

振り向かせたい彼から誘われる

――「聡明」でも「ちょっとヌケてる」空気のつくりかた

13 扉はいつもオープンに

彼から誘われるための、もっとも基本的で大事な考えかたは、**「誘いやすいようにハードルを下げ、あなたの扉を全開にしておくこと」**です。あなたを誘ったらきっと喜んでくれるだろう、と思えると、彼は声をかけやすいのです。

このあたり、お水の子たちは上手で徹底しています。お客さまがどんなことをいっても、「楽しそう!」「いってみたい!」と目を輝かせて食いつく。

そうすると「じゃあ今度いかない?」ととても自然に発展しやすいのです。

この「じゃあ……」をうまく引き出すのがあなたのお仕事。あなたがナイストスを上げて、彼がアタックを決める、のようにね。

名セッターになって、彼に「お誘い」というアタックをたくさん決めてもらいましょ♪

大好きなカリスマママがホステスたちに教えていたのが、「感情は大きく、わかるように出しなさい」ということでした。

これがあまりにわざとらしく嘘っぽいと、いわれたほうはかえってしらけてしまったりするのですが、**無表情な能面になってしまうくらいなら、多少わざとらしくてもすかさず食いつくほうが、人は100倍うれしいものなのです。**

また、男性は「面倒くさい女性」「むずかしい女性」はキライです。いっしょにいても楽しくなさそうだな、と敬遠します。

「あそこの料理はぬるかった」「疲れた上にねんざまでした」などとケチばかりつける、ネガティブな批評家タイプの女性、「靴がよごれそう」「日焼けしたくない」「豚肉もお寿司も卵も食べないの」とか、あれこれむずかしすぎる女性は、誘う前に気が重くなります。

まあこれも、あなたがわがまま、彼が笑ってつっこむ、みたいなお約束になってしまえばかえって仲よしになれるのですが、最初はおさえておきましょう。

でないと、彼がかりにあなたを好きで誘いたくても、断られそうだと感じてハードルが高くなってしまいます。

だからまずはオープンにいて、いろいろな事情はあとから申しわけなさそうに伝えて。

誘われやすいのは、**オープンで好奇心が強く、単純でおおらかな、やわらかい女性**です。

まとめ　誘いをうまく引き出すのがあなたの仕事

14「食ってみ」「読んでみ」は素直にトライ！

彼の価値観やオススメなどを素直に吸収してくれる女性は、彼が自分の世界に引き込みたくなるので、とても誘われやすいです。そして、彼を信じて「うんうん」とみんな吸収してくれる女性を、彼はすごく「いい子」だと感じて、いとおしくなります。

「食ってみ」「読んでみ」「見てみ」などとすすめられたら、素直にそうしてみましょう。

私の体験をお話しすると、毎日いろいろなお客さまがいろいろなものを熱くオススメし語ってくれるのですが、それが映画ならその映画を見る、本なら読む、音楽なら聴く、雑誌も立ち読みする、テレビなら録画して見る、お菓子なら買って食べる、などしていました。

全部見たり読んだりできなくても、最低限ネット検索したり、お店で手にとってみます。

毎日いろいろな情報を教えてもらうので、忘れないよう、そしてたまっていかないよう、家に帰ってから寝るまでのあいだ、その日のうちにまずネットで調べるようにしていました。

そして翌日にでもメールや電話で感想や質問を送ったり、お会いしたときに伝えていました。**「本当に感じたことを」「具体的にいう」「傍観者ではなく参加する」**を心がけてね。

そうするとお客さまは、よけい身を乗り出して、さらにいろいろ教えてくれるのです。

……とはいってもふつう、「F1」「アメフト」「ガンダム」とか、意味がわからないし、つまらないし、興味がもてなくて、調べたり読んだりするのはキツイですよね。

そういうときはどんどん質問してみましょう。「ふーん、日本人レーサーはどうして勝てないの？」や「アメフトは防具つけてるけどラグビーはどうしてつけてないの？」などと。

感想や質問をいったり、メールするときは、「彼と連絡をとりたくて無理に話を合わせている」と思われないように、あくまでその話に興味をもった、というスタンスでいましょう。

男性は教えたがりなので、スポンジのように吸収する女性をそだて、自分ならではのこだわりとか好きなものを共有したいのです！　そうやって素直に吸収していると、もっとあれも見せたい、これも見せたい、となるようで、「じゃあ今度あそこつれてってあげる」「あれ貸してあげる」「あれ食わせたい」と非常になりやすいのです。

ま、あまり無理して合わせるのもつらいですので、最初に仲よくなりたいときなどに気合いを入れてみてください。自分の世界がひろがるなあ！　と思えば楽しめますよ☆

まとめ　心を開いて彼の話に興味をもってあげて

15 こんなアピールで、彼はあなただけに食いついてしまう

クラブとかキャバクラでは、女性たちがよく、「私、ずーっと彼氏がいない空家なの」「友達いないから、だれからも電話こないよ」「ごはん、いつもチロルチョコなんだ」「クリスマスイブは家で大奥のDVD全話見てた」などといっています。

そしてそれをお客さまが、「いいかげん男つくれよな（笑）」とか「金ないの？ 飯くらいちゃんと食えよ（笑）」とか「ほんとお前ネクラでヤバいよ（笑）」などとうれしそうにからかっている、という場面が、本当にしょっちゅうあります。

男性って女性のこういう自虐ネタが、かわいくて好きなのです。 そして女性たちも、男性が喜び、自分がかわいがられるのをわかっているので、話が同じ流れになるのでしょう。

女性が「一人さびしい」的なネタをいうと、ハードルが下がって男性は安心します。そしていとおしく思うものです。

たとえば5人の女性がいて、ある男性から見て「どの子もどんぐりのせいくらべだな」という場合、こういうかわいい自虐ネタが出ると、その女性が頭一つ抜け出たりします。

アクティブで人生が充実していそうな女性は、輝いていてステキですが、「私は一人でいても楽しくて幸せ」ばかりが見えると、男性は「自分なんかの入る余地はないんじゃないか」と感じてしまったりもします。男性も断られたり傷つくことが怖いのです。

だからそんな輝いているあなたが、たまに「一人でさびしいナ……」って「いじいじ」しているのを見せると、「ういやつ。おれでよかったらいつでも呼んで！」「おれがいるから！一人じゃないよ！」「どこでもつれてってあげるよ！」という気持ちになるのですね。

だけどあくまで冗談で、本気でアピールしすぎないように。「ねえ、彼氏できなくてさびしいの！」「助けて！　なんとかして！」とマジでいわれても、引くしかないですよね。

また、たとえば30をこえた女性が、「私オバサンだし誘われないのよね」などという場合なども微妙。いじられキャラだったら、まだ笑いながら「お前まだあきらめてないのかよ」などとかつっこめるからいいですが、ふだん冗談をいわないような人がいった場合や、そこまで親しくない場合だと、笑えずにフォローに走るしかない、気まずい空気になります。

自虐ネタは空気をちゃんと読んで、みんなで楽しめるように使いましょうね。

まとめ　自虐ネタに男性は安心感を抱く

16 遠慮よりも笑顔で「うれしい！」「楽しみ！」

そんなにかわいいわけでもないのによく誘われる女性と、けっこうかわいいのにあまり誘われない女性には、ある大きなちがいがあります。

さて、それはなんでしょう？

答え。誘われ、尽くされ、愛される女性は、「受けとり上手」なのです。

かわいいのに誘われない女性、尽くすいっぽうの女性の特徴はズバリ「受けとり下手」。好きな彼にかぎらず、人からなにかをしてもらうことにすごく遠慮してしまうのです。

愛されたいということは、愛がほしいということ。

なのにそれを遠慮して受けとらないのは矛盾していますよね？

ほしいのに受けとることを拒否しているのは、器をもたずに「水をください」といいにいくようなものです。それではいくら彼が愛を与えたくても、与えられません。

好きな彼が誘ってくれた、なにかしてくれた。そんなときに「そんなに高いチケットいいの？」「遠いのに悪いよ」などと、**遠慮したり恐縮する必要はありません。まっさきに喜んで**

OKしましょう。いつまでも「悪いよ」「ごめんね」といわれるのはうっとうしいのです。

あまりにも悪いなあと思ったら、ときどきお茶をおごったり、小さなプレゼントなどでお返ししましょう。彼だってあなたが喜ぶ顔を想像して、それがうれしくてしているのだから、あなたが遠慮ばかりするとさびしい気持ちになるのですよ。

女性がよく使う方法に、まず「でも悪いよ……」といってから彼に「いいよいいよ！」といわせ、それから「じゃあ……」といって受けとるというものがあります。彼に「おれがしたくてそうしたんだ！」と確認させることで、彼女に有利な流れにもっていくのです。

でも私はかなり顔に出てしまうので、最初に悪そうな顔とかできず、満面の笑みで「え!?ほんと？　いいの？　ありがとー！」と素直にいっています。

遠慮することで彼が感動する、うれしいということはありません。遠慮してしまう女性はどこかで、遠慮が美徳、気を使っているいい人だ、と思っている部分があることも。

でもそれは結局、「自分がイイ子ちゃんでいたい」という自己満足であったりします。

彼から誘ってもらうには、「受けとり上手」になって、どんどん喜んで受けとりましょう！

まとめ　「受けとり上手」が愛される

17 彼からの誘いにはプロの黄金バランスで

なんと彼から「土曜日ひま？　こないだ話してた映画いかない？」と誘われました。

さあこんなとき、あなたならどんなふうに答えますか？

六本木時代、ママにあるコツを教わりました。同伴出勤（出勤前にお客さまとお食事をしてから一緒にお店にいくこと。月間のノルマ回数があり、達成できないときびしい罰金）に誘われたとき、食いつくように「あいてます！　いきます！」といわないようにと。

どんなに予定があいていてもうれしくても、かならず「うれしい！　でもちょっと待ってね、予定を確認するから」とおもむろに手帳を開きなさい、そしてそのあとで、「その日だったら大丈夫そう。いきましょう♪」という感じにお返事しなさいと。ようするに、自分を貴重なものとして演出しなさい、高く見せなさいということですね。

「やったー！　同伴ゲット！」みたいなギラついたテンションを見ると、お客さまはこう思います。「この子は売れてなくて同伴相手がいないんだな、困っていて必死なんだな」と。

そして、彼女のありがたみはうすれ、彼女のステータスはダウンするのです。

だからあなたも、「(いかない？　とかぶる勢いで)いきます！　予定も全部キャンセルします!!」みたいにがっつきすぎて、予定ガラあき感を出さないほうがいいことも。

あなたの必死さ、がっついたテンションを彼はけっこう見逃さなかったりします。

そして彼よりももりあがりすぎているあなたを見て「彼女はおれに夢中なんだ」「おれが追いかけなくても、彼女はおれといられるだけでうれしいんだ」と無意識で感じます。

とはいっても必死さを見せないようにしすぎると、無駄に感じが悪くなる、という失敗がおこりがちなのですね。これはむしろ必死な態度で、余裕と自信がある人のとる態度ではまったくありません。また、「はぁ〜、いつももったいぶりやがって」なんて思われたりしたら、それはただあなたの印象を悪くするだけで、サイアクです。

だから、**「明らかに彼を置いてきぼりにしてもりあがりすぎている」**のでなければ、素直に喜んでいいと思います。ママのアドバイスはテクニックの一つとして参考程度に。

とくに、彼がめずらしく勇気をふりしぼって、または自信なさげに誘ってきてくれた場合は、あえてがっつきを見せて、ハードルを下げてあげましょう。

まとめ　あなた一人でもりあがりすぎない

18 誘いたくなるには「知性」よりも「かわいげ」

男性はバカな女性はキライです。でも、「バカっぽくて本当は賢い女性」は一番の大好物。そして、ぜったいに覚えておいてほしいのが、好きな男性の前で利口ぶる女性はバカだということです。男性は**「利口な女性」は好きだけど、「利口ぶる女性」はげんなり**なのです。知識や教養、またはいろいろなお店やニュースなどの情報をひけらかすような女性、なにかというと議論して勝ちたがるような女性と、あまりデートしたいとは思いません。

私はむかし「伝言ダイヤル」という、電話で声のメッセージをやりとりするサービスの、サクラのバイトをしていました。メールのかわりに声のやりとりをする、出会い系サイトのようなものです。男性は1メッセージのやりとりのたびにお金がかかります。

あるとき、その運営会社の社員から、歩合と優秀賞のボーナスを合わせて月収70万円のナンバーワンが、どんなメッセージをやりとりしているのかを聞いたことがあります。

それがなんと彼女は、ボーっとして、眠そうで頭の悪そうな（失礼）舌足らずなしゃべりで、「げんきぃー?」「いっぱい寝ちゃったー」「おかえりー」「おやすみー」などの一言だけで、ちゃんとした会話をしているわけではないというのです。

エッチな話とか、共通の趣味でもりあがるとか、いつどこで待ち合わせとかではなくて、ただ寝起きみたいな一言二言のあいさつ。それで毎日たくさんの男性が、彼女と声のやり取りをしたくて、せっせとお金を使うのです。

気のきいた話題を考えて吹きこんでいた月収15万の私には予想外すぎて、ほかの星の話を聞いているような衝撃でした。私は理屈で組み立てるタイプなので、まったく意味がわかりません。よく聞く銀座ホステスの話のように、「新聞は5誌とって、政治経済、文化からスポーツ芸能まで身につける」などなら、すごく納得だったのですが……。

でもたしかに私たちも、つきあったら彼女のようなテンションになりますよね？　だから一人暮らしの独身男性たちは、毎日恋人と話しているような気分で、いやされたのだろうなと思います。きちんとして、まじめでしっかりしたスキのない女性の前では、男性も背筋を正さなくてはいけないような気がしたり、気をゆるめられませんよね？

男性がいっしょにいたいな、と思う女性には、ふんわりしたかわいげがあるのです。

まとめ　男性はホッと感を求めている

19 食べるのが好きな女性は魅力的

あなたはおいしいものを食べるのが好きですか？　たくさん食べますか？

もしもこの質問の答えがイエスなら、あなたは一つ武器をもっていることになります。

ちなみに私は食べるのが大好きで大好きで、しいたけとレーズン以外はなんでも大喜びしてよく食べるのですが、男性から何十回と同じセリフをいわれました。

「ほんとおいしそうに食べるね。見てて気持ちいいよ」「食べる子好きなんだよね。きみはほんとに誘いがいがあるよなあ」「ダイエットだかなんだかしらないけど、食べない子は一緒に飯食ってもつまらないんだよね」「まずそうに食う女ほどいやなもんはないよ」……。

とくに食べるのが好きな男性ほど、「自分が感動したうまいもんを食わせたい」、という思いが強いようです。せっかくいっしょに食べにいくのだから、楽しんでほしいらしいのです。

もちろん男性は基本的に、食べても食べなくてもあなたの一番いいようにいてほしい、と思っています。だから小食なのに無理して食べたりすることはないのですよ。そちらのほうが、男性を悲しませることになるでしょう。

だけど、あなたがもし、「食べないほうが上品で好かれる」と思っているなら、それは大きな間違い。いつもどおり遠慮しないで、楽しく、食べたいだけ食べてしまいましょう。

また、一人ならハンバーガーにかぶりつくのに、彼といっしょのときはちょっとずつちょっとずつ食べるとか、ポテトをフォークとナイフで切って食べるとか、男性はそういうことを、べつに上品と思ったり、ポイントが高くなったりはしないようです。

だから、いつものあなたでいいのです。

また、**「おいしい!」という言葉は、いった人間のことも、いっしょにいる人間のことも、みんなをいっぺんに幸せにしてしまう、すごい言葉です。**おいしいなと思ったら、ニコニコして「おいしいね!」と言葉にしましょう。きっと彼もニコニコしてくれます。

子育てではお母さんが、老人ホームではスタッフが、笑顔で「おいしいね!」と大きな声で何度も話しかけています。なんと外国人まで「オイシイ」が好きでよくいいます。

みんな「おいしい」が好きなのです。きっと人の心を生かす言葉だからなのでしょう。

まとめ 「おいしいね!」で感動を共感しあおう

20 年上や才女でも、誘いたくなる女性にはコレがある

男性は、年上の女性や、明らかに自分よりも賢かったり学歴や社会的ステータスのある女性にたいして、ちょっと身構えて緊張してしまいます。

それはキライというわけではなく、女性としてみるには一歩引いてしまうというか、プライドが高そうで怖いとか、ハードルが上がってしまうとか、そんな感じです。

同年代や年下の女性ほど気楽に誘える存在ではないのです。

ただし、そのハードルの高さを逆に魅力にしてしまうのが、年上女性や才女の「ヌケ」と「お茶目さ」。

ビリヤード店オーナーがいっていました。

「年上の女性も、あんまり賢い女性も苦手なんだけど、麻木久仁子みたいに『若い男の子には、好きにして〜、ってなっちゃうのよ〜』って笑っていえるようなノリがある人ならいいよね。かわいくて誘いたくなる」のだそう。

笑って気軽につっこめるような力の抜けた女性でいることで、年上だったり才女だったり

という敷居の高さがギャップを生み、むしろかわいく感じるようなのです。

たとえばコップの水をこぼしてしまったとき、年上の女性や超賢い女性がこぼしてあわてている姿は、年下の女性以上にかわいくてグッときたりするのです。

結局、年上だったり才女であること自体が男性を遠ざけているのではありません。

男性が、近づきがたくておかたい、気を使わないといけない、というイメージをもってしまっているだけなのです。

だから年齢に関係なく、距離を感じさせるかたいイメージの女性は誘われにくいのです。

年上や才女であるぶん、ちょっと意識して、あなたの抜けている部分を隠さないようにして、そして肩の力を抜いて、お茶目な部分を出してみましょう。

それには彼と一緒に、あなたが本当に好きなことをするのをオススメします。

たとえば好きなアーティストのライブ、動物園、ダーツなど、あなたが思わず夢中になってしまう場所なら、あなたは無意識でかわいいお茶目な素の姿に戻ってしまうでしょう。

そんなあなたの姿を見て、きっと彼は今までよりもあなたをいとしく感じるはずです。

まとめ　ハードルの高さを逆手にとる

3rd Stage

さぁ、いよいよ初デート

——「緊張でドキドキ」でも「最高のあなた」を演出する会話

21 ネガティブな引き出しは封印！

ファーストデートは、ただ単純に、彼と笑って楽しくすごすことを目指しましょう。「わーい！　たのしいね♪（ニコニコ）」「ね、たのしいね♪（ニコニコ）」というイメージです。「おいしいー☆（ニコニコ）」「すごーい☆（ニコニコ）」「キャーびっくり！（ニコニコ）」というイメージでもあります。

……アホか！　と思われたかもしれませんが、まあやってみてください。ステキですから♪

暗い話はいつでもできます。だから今日だけは彼に楽しんでもらうことを考えて、二人でいっしょに楽しんでいらっしゃい！

もしかしたらあなたは、大好きな彼に本当の自分をわかってほしくて、今までのつらかったことや、今の悩みをすべて話したくなるかもしれません。

はい、むかしの私は、最初からネガティブなところも、マイナス要素も、すべて見せることがフェアだと思っていました。

だけどそういう部分を見せるのは、彼とあなたの間にもう少し絆ができてからにしたほうがいいかも。

最初はあなたのもっている最高の部分、つまりやさしさ、あたたかさ、おだやかさ、明るさ、聡明さ、気配りなどだけを出して、彼のハートをガッチリつかんでしまいましょう！

それはあなたをつくることではなく、彼をだますことでもありません。**最高のあなただってもちろん「本当のあなた」なのですから。**

もちろん聞かれたときにウソをつくのは、信用されなくなったり、あなたがつらくなってしまうのでよくありません。

いいたくないことは「今度ね」「ナイショ☆」「さあ、どうでしょう♪」などとかわしてしまえばいいのです。私はむかし、これもできませんでした。妙に律義で、ちゃんと答えるか、黙ってしまって気まずくなるか、そんな野暮な人でした。

でも、今日だけはネガティブを封印しているのですから、そこはサッと流しましょう。

そうやって彼が、あなたのことをもっと知りたいなあ、と思うくらいにしておいて、次回放送をお楽しみに〜のように終わらせる、という感覚もぜひ覚えておいてください！

まとめ あなたの「最高の部分」で彼のハートをつかむ

22 どんな場面でも「彼とセット」で

合コンでもサークルでもデートでも、今日からチョー使えるワザをご紹介します。

たとえば彼とレストランにいったとします。ふつう、テーブルに二人は向き合って座っていますよね？　そこでメニューが一つしかなかったら、このワザの出番。

メニューをわたして「さきにどうぞ」とか一人ずつ選ぶのはブッブー。×です。

私はかならずメニューをテーブルの上に広げて、いっしょに見られるようにします。

そしていっしょにそのメニューを見て、できるだけ「サラダ食べる？　どれにしよっか？」とか「パスタとピザ一皿ずつにする？　このトマトクリームに惹かれてるんだけどいい？

じゃーピザの中から一つえらんで☆」とか、二人で決めていくように心がけています。

一人ずつ決めるときでも、「どれにした？　私もそれ迷ったのー」など、とにかく絡む（笑）。

カラオケでもそれぞれ曲をさがすのではなく、彼がさがしているのを横からのぞきこんで、

「あ！　私もＥＸＩＬＥ好き！『Ｔｉ　Ａｍｏ』歌える？」などと参加してしまう感じです。

買い物をするときも、一人が買い物、一人がつきあいという図式にならなるべくならないよう

に、どういうものをさがしているのか、どういう目的で買いたいのかなどを説明します。

そうすると彼も役立とうとしてくれて、かなり協力的にさがしてくれるのです。

もちろん逆も同じ。「なに買うの？」「どんなのほしいの？」と聞いてしまいましょう。

途中で飲みものを買うなら、一人一本よりは、一本をいっしょに飲む。ドリンクバーならもってきてあげたりもってきてもらったりする。食事も味見させてもらう。

さーらーに!!

「二人セット感」「こいつはおれのモノ感」を出す、簡単なチョー強力ワザを伝授します。

それは、「彼のマフラーやコートを借りる」こと。自分のマフラーを巻いていたり自分の服を着ているあなたを見て、彼は自然と「こいつはおれの一部」のような感覚をもちます。

このように**二人の境界をなくして、できるかぎりすべての行動が「二人で一セット」という感じになるよう、意識するのです。**そうすると初対面でもファーストデートでも、「二人はつがい」という親密感が出て距離がなくなり、つきあってるっぽい感じに。

そして彼は、自然とあなたを女性として意識してしまうのです。おためしあれ！

まとめ 「二人はつがい」で親密度アップ

23「Most自分！」。そのままのあなたがチャーミング

「きれいじゃないからモテない」「私は彼のタイプじゃない」……それってほんと？ 私たちのほとんどは間違った思いこみを真実だと思って生きています。そしてそのことにすら気づけません。なぜなら100％ゆるぎない真実だと思っているからです。

むかしの私は「笑顔で気のまわるやさしい気さくな子、カンペキないい子」が好かれる、モテると思いこんでいて、いつも精一杯がんばって気をつけていました。

ところがです。男の人たちが実際にかわいいといってくれたのは、なんと「ムキになって将棋をさしているとき」「格闘ゲームで負けて本気で怒っているとき」「スーツにヒールでさっそうと歩いていてコケたとき」「ザコ寝してカーカー寝ているとき」でした。

あとから考えてみると、**かわいいといわれたのはすべて、人の目を意識していないとき**だったのですね。つまり無防備な姿、見せないようにしていたみっともない姿だったのです。

思いこみがガラガラとくずされて、今までの努力はなに？　と、かなりショックでした。

そう思っていたところ、『自己宣伝は相手に取り入ることではない』(D.K. ゴッドフレイ、E.E. ジ

ョーンズ、C.G. ロード・*Journal of Personality and Social Psychology 50*）にこんな実験結果が。

著者たちが、見知らぬ二人を出会わせて会話をさせる実験をしたそうです。

参加者の半分には、「あなたは頭がよくて才能ある人間に見えるように努力してくれ」と指示を出しておき、残りの半分にはなんの指示も出さずに自然に話をさせました。

さて問題。どちらの参加者が、相手からの好感度が高かったでしょう？

……なんと答えは、「自然に会話をしていたほう」だったのです。

つまり「よく見せようと思うほど好感をもたれない」という法則があったのです！

がんばりが裏目に出て、好きな人に距離を感じさせてしまい、好かれないのです。

それから、背のびしているのに気づくと思い出すようにしています。「がんばって好感度下げてどうすんの？」と。そうするとふっと全身がゆるんで、い〜い感じになるのですよ。

あなたが隠そうとしているものこそ、あなたの素材そのものの魅力なのです！

素の私を見てきらわれたらしかたない。そう開き直れたら、彼の前でもリラックスできて、素のままの一番チャーミングなあなたでいられます。

まとめ　心を開いて素のあなたでいよう

24 10秒で親しくなれる「生きた会話」

売れっ子のホステスやホストは、会った瞬間に、よく知っている間柄のような空気を出してしまうのがすごくうまいです。「お馴染みのお客さまなんだな」と思っていたら、じつは初対面だったり！

私もこの武器がほしくていろいろな人を観察しつづけた結果、三つの法則を見つけました。

1. 親しくなると（当然ですが）**個人情報の質問をしない**
2. 親しくなるとお互いをではなく、**一緒になにかを見る時間がふえる**
3. 親密感ただよう「生きた会話」にもっとも必要なもの、それは**観察力**

この法則を使えば、初対面でも10秒で親しい雰囲気になることができます。

具体的な例をあげると、「暗いけど大丈夫でした？　最近このへんぶっそうですよね」、メニューを見ながら「これおいしそうですね♪」、顔を見て「息切れてるけど走ってきました？（笑）」などのように、「今のこと」を話題にします。

名前や職業なんて知らなくても、初対面なのにいきなり親密感が出てしまうのです。

彼といるときも、会話の内容だけではなく、目の前の彼の様子を観察してみましょう。となりのおばちゃん集団をチラチラ見ていたり、携帯を気にしているのに気づくかもしれません。そうしたら「おばちゃんって、なんであんなに声でっかいんだろうねえ」とか「あれ、今日なにか予定あるの？」と声をかけることができます。

そうすると彼は息を吹きかえしたように「ほんっとうるさくて、さっきからムカついてたんだよ」とか「そろそろ仕事の電話がくるんだ、きたら10分くらい席はずしてもいい？」などと答える、「生きた会話」がはじまることがよくあります。

初対面の会話ってふつう、名前は？　どこ住んでる？　仕事はなに？　休みの日なにしてる？　お酒飲む？　音楽なに聴く？　などを質問しあって共通点を見つけ、そこから話題を広げていってもりあがって仲よくなる、という手順をふみますよね。

だけどデータに頼りすぎると、アンケート調査のような「死んだ会話」になることも。彼との親密感を生むには、データ収集から広げる会話だけではなく、「目の前の彼」「今のこの状況」を観察することによって生まれる「生きた会話」もマストなのです。

まとめ　見えている部分に会話のヒントが

25 ただ透明になってひたすらに吸収しよう

「私のことはいい　今日はただ透明になって　この人をひたすらに吸収しよう」

これはむかし、大好きな人との初デートの日に、唯一自分にいい聞かせた言葉です。

もう自己アピールしたくて、仲よくなりたくて、気に入ってもらいたくて、頭がパンクしそうでした。そこまでになって、ようやく一番大事な心得を思い出したわけです。

結果、彼とのデートはヤッバイくらいうまくいき、二人はチョーラブラブになれました♪

「私はあなたが好き」の意味が、「あなたのことをそのまま知りたい。どう思われるか、これからどうなるかなんてどうでもいい。ただあなたといられるのがうれしい」という意味になるとき、彼の心は動きます。なぜならそのような人間にはめったに会えないから。

これができると、彼に「彼女は特別な女性だ」という印象をあたえられるようです。

ただしこれをわざわざ言葉でいうのは、アピールしようとしていて不自然なのでNG。アピールしたいとか好かれたいという欲望が強すぎると、心の目線が内側に内側にと向かって、情緒不安定になり、あげく彼に楽しんでもらうこともできなくなります。

あなたにとって一番興味があるのは「彼があなたをどう思っているか」ということ。だけど彼が興味があるのは、仕事や趣味など別のことだったりします。あなたが透明でいられれば、彼がなにに興味があるのか、自然にわかってしまいます。**彼を落とすのに重要なのは、あなたがなにに興味があるかではなく、「彼がなにに興味があるか」**なのです。

もし彼に「最近マジで忙しすぎて、とにかく睡眠時間がほしい」といわれた場合、欲望フィルターがかかっていると「もう帰りたいってこと？」「つきあいたくないって遠まわしにいってるの？」などとぐるぐる考えて暗くなり、会話に集中できなくなったりします。

しかし透明でいられれば、「それって早く帰りたいってことかー？　おらおらー（笑）」とか「じゃあ今日は、私が疲れをとってあげるよー♪」とかいえてしまったりするのです。

そうしたら彼も、「おー。やっぱり女の子とご飯とか、たまにはいいもんだわ」などと気軽に返せるし、ポンポンと楽しく会話がはずんでいきます。

つまり透明でいられれば、なんのフィルターもとおさず、正しい状況判断ができるということです。そして、彼ととても自然に楽しめるようになるのです。

まとめ　大切なのは「彼がなにに興味があるか」

26 「大船に乗ったつもり」で彼にまかせてみる

デート、とくにファーストデートでは、彼もミスしないか、あなたにバカにされるのではないか、頼りないと思われるのではないかと気にしています。

そんな中、「まだー？」「えー、このお店知ってるけどヤダー」「運転、苦手なの？　酔っちゃった」などといわれると、動揺して、怒ったり黙ったりしてしまいます。

実際は心配でも、そういうそぶりを見せるのはぜったいNG。「映画の時間、間に合う？」「あの人に道聞いてみようよ」など彼のためを思っての提案も、「あなた頼りないわ」「安心していられないわ。ダメね」といわれているように感じる男性も少なくありません。

いくら顔では笑っていても、「お前は無能だ」といわれたと感じて、心の中では傷ついていることもあるのです。

彼の失敗は気づかないふりをしてあげて。謝られても「あらそう？　全然気づかなかった」「一緒にいるだけで楽しい」「おかげではじめての道にこられてうれしいよ☆」などとのんびりかまえていると、彼はそんなあなたに感謝して、ずっと一緒にいたいと思います。

あなたがテキパキやってしまうと、彼の能力を信じていないことになってしまいます。彼は楽ができるけれど、その分あなたを守るナイトにはなれません。

だから、ちょっと抜けていてちゃっかりしている女性が愛されて、彼の負担を軽くしてあげようとするしっかりした女性が、愛されずにバカを見ることもよくあるのです。

男性は教えるのは大好きですが、女性からあれこれ教えてもらいたくなんてないのです。

そして、うるさい先生やお母さんみたいな女性とは、イチャイチャしたいと思えません。

彼の力量をうたがうような反応はしないように、細心の注意をはらいましょう。

かりにあなたのほうがうまくやれたとしても、**「あなたという大船に乗っているから私はなにも心配していません」**という感じでゆったりとくつろいでいればいいのです。

そして「どこにいきたい？」「なに食べたい？」「バッティングセンターいかない？」など意見を聞かれたら、「あなたのいきたいところでいい」ではなく、「うーんと、ちょっとお茶したいかな」などと、あなたのしたいことをきちんと答えてあげましょう。

あなたの望みをかなえてあげて、楽しませるのが、彼の一番の喜びなのですから。

まとめ　あなたの望みをかなえることが彼の喜び

27「インスタントお姫さま」になろう

デートでは、「パスタが食べたいな」「スタバいきたい」など、小さなわがままをいってみましょう。すると多くの場合、彼は、「このへんにイタリアンあったっけ」とか「スタバどこにあるかな」と携帯で検索してくれたり、１０４で番号を調べてお店に電話して聞いてくれたりして、なんとかあなたの望みをかなえようと力を尽くしてくれます。

基本的に男性は、女性に頼られたり相談されて、ミッションを完了させ、彼女が喜ぶのを見るのが好き。だから変にものわかりよく、ガマンをする必要はまったくありません。

この小さなわがままは彼へのサービスで、コミュニケーションの一つなのです。

人気のあるメールマガジンやサイトは、読者がなんらかのアクションをできるよう工夫して、一方通行にならないようにしています。そうして思い入れをもってもらうのです。

あなたも自分がメールを出して参加したメールマガジンや、アンケートなどで開発に協力した商品には、思い入れが生まれ、ついつい気になって応援してしまいませんか？

そうして巻き込んでいくのが上手な人は好かれるし、いろいろな人に助けてもらえます。

とくに**男性はしてもらうよりも、してあげればあげるほど、彼女をかわいく感じて好きになります。** 彼女の喜ぶ姿がうれしいのです。「自己重要感」が満たされるのですね。

私は相手が年上でも年下でも、男性にいろいろなことをしてもらうのが大好きです。飲み会ではじめて会ったような男性にも、ふつうに「荷物もって☆」といいます。するとたいがい、あたりまえのようにもってくれ、してもらう前よりも親密になれます。

また、お店や車のドアを開けてもらったり、料理を取りわけてもらったりするととてもうれしいので、「うれしいー♪」と喜んでいると、ほとんどの男性はなにも考えずに、どんどん覚えてエスコートしてくれます。このへんは、男性ってかなり素直で親切なのですよ。

エスコートといっても、なにも男性に慣れたお姫さまのような女性だけがしてもらえる特別なことではなく、もっとささいな、ふつうのことなのです。

だけど状況的に、または彼の能力的に無理なわがままはNG。そして本当に時間がないときや、彼の体調が悪いときなどは即座に見抜いて、空気を読んで適切な対応をしましょう。大きすぎる負担をかけては、ただの「わがままバカ女」になってしまいます。

まとめ　あなたがお姫さまになれば二人ともハッピー♪

28 気になるお会計、微妙な男ゴコロ

デートで彼がごちそうしてくれました。そのときいくら彼があなたよりもお金をもっていても、あたりまえのように払ってくれたとしても、あなたまで「出してもらうのがあたりまえ」と思っているような態度でいては、彼もいい気はしません。

女性でたまにいますよね。「男性がお金を払うのは当然でしょ！」と思っている人。

でも、それはちがうのでは？　感謝の心を忘れては、ただの勘違い女です。

せめておサイフはカバンから出しましょう。自分が払うのが当然だと思っている男性は、その時点で「いいからいいから」といってくれると思いますが、そういわれなかったら、おサイフを胸のところでもったまま「……おいくらですか？」と聞きましょう。もし「じゃあ二千円ちょうだい」などといわれたら、気持ちよく払いましょう。

いくら「彼が払ってくれるだろうな」と思っても、おサイフも出さないでいきなり「ごちそうさまでした！」は少しずうずうしいです。

あなたの「払います」という態度を彼が見て、「いいから、早くそんなもんしまってよ」と

いい、「ごちそうになってもいいの？　ありがとう」とあなたがおサイフをしまう、というやりとりがあるからこそ、彼は「おれが払いたくて払ったんだ」という満足を得ます。

人はあまのじゃくなところがありますので、**払うつもりでいても、あなたがそれを当然だと思っているのを見ると払いたくなくなるものです。**

そしてあなたのことを「性格が悪いずうずうしい女性」とまで感じてムッとすることも。

いくら金額が少なくても、目をキラキラさせて、うれしい、おいしかった、ありがとう、と伝えましょう。そうすると彼は、「こんなことでこんなに喜んでくれるなんていい子だなあ、出してよかったなあ」と思い、多くの場合、次からも喜んで出してくれます。

それと、彼が出してくれるお金と愛情は、かならずしも比例しているとはかぎりません。なぜなら人それぞれ経済事情や恋愛歴などによる価値観のちがいがあるからです。

重要なのは、その人が「出したいと思ってくれているのに出せない」のか、「出せるけどあなたには使いたくない」のか「出す習慣がない」のか、というところです。

彼の恋愛観や、彼にとってあなたはどんな対象なのかを推測する、ヒントになります。

まとめ　ただの勘違い女にはならないで

29 彼の「テリトリー」にはこんないいことが！

「どこいきたい？」といわれたら、私は「あなたのオススメのお店」と答えます。

私自身の「いいお店リスト」もふえるし、彼に主導権をわたしてみて彼の趣味や好みを見たり、彼の素顔に近づきたいからです。

たいてい彼も自分のことをわかってもらいたいので、自分のテリトリーにあなたをつれていって、あなたに見せて、大切な部分を共有できるのはうれしいものです。

そして男性は基本的に教えたがりですので、「こうやってカラをとって食べるんだよ」「この柱は14世紀のものを輸入したんだよ」とか、あれこれ喜んで教えてくれます。

ですから、彼と親しくなりたいなら、彼のテリトリーにいったらかならず褒めましょう。

そこがせまくて古くてきたない焼鳥屋で、あなたは内心引いたとしても、「こんなところはじめてきた！　活気あっておもしろいね～」「炭で焼いてるの？　おいしそうだねえ！」など、ウソではなく本当に感じたこと、かつ、いいことをいいます。これも大喜利のつもりで☆

ご飯を食べながら、お酒を飲みながら、そのお店を知ったいきさつや、どのくらいの頻度でくるのか、など聞いてみたりすると、イモづる式に彼のプライベートやむかしの話が聞けて、あなたはどんどん彼の世界の住人になっていきます。

そして後日「○○（店名）の△△さんに似てない？」や「昨日とつぜん、○○のピラフがどうしても食べたくなった」など、二人だけの話題が広がるのです。

また、「渋谷にもっとおいしいお店あるっていってたよね？　あそこよりおいしいとかヤバくない？　ぜったいいってみたい！」などというと、彼はまたあなたを驚かせ、喜ばせたいので「いいよ！　マジでうまくてビビるよ」など自然と次の約束もできます。

そうして**彼のテリトリーを見ていくと、「彼の世界」がだんだん感覚的につかめてきます。**

また、彼にたいするそこのオーナーや常連の態度、彼のやりとりなどから、あなたの知らなかった彼を見ることができます。それも、彼についての貴重な情報収集なのです。

最後にここが大事！　彼のテリトリーにいくときは、「あいつステキな人つれてきたな」と彼の評判が上がるよう、できるだけきれいにしていき、ニコニコ感じよく接しましょう。

彼のまわりの人間から受け入れられることも、彼の本命になるにはとても重要ですから！

まとめ　一歩踏み込めば二人だけの世界が広がる

4th Stage

彼にもっと接近する

――「駆け引きしない」でも「グッと心をつかむ」メール術

30 デートの失敗も恋心ゆえ。自分を許してあげて

デート、失敗してしまいましたか？　緊張してぎこちなくなってしまいましたか？　あなたばかり話しすぎてしまったのでしょうか？　それとも彼のふとした顔がつまらなそうでしたか？　待ち合わせ場所で会った瞬間は、恥ずかしくて顔が見られないですよね。となりにいる彼のことを見ているとポーッとなってしまったり、幸せで舞い上がってベラベラしゃべってしまって、自分でもなにをしゃべってるのか、わけがわからなくなったりして……。

二人でたくさん笑って楽しかったはずなのに、帰って一人になると、なにもかも失敗した気がして考えてしまいますよね。つまらなそうに見えたかな、それとも必死すぎるように見えたかな、もっと彼の話を聞けばよかった、カバンをとってくれたときに笑顔で「ありがとう」といえばよかった……って、グルグルグルグル……。

わかります。よーくわかりますよ。

でもね。**あなたはなにも悪くない。アガるのは当然。だって彼が大好きなのですから。なーんにも間違っていない。**恋する人にたいして、男友達と同じようにいくわけがないのです。

そう、銀座高級クラブのスゴ腕ママだって。

だから、失敗しても自分を責めないで、許してあげましょう。自分にダメ出しをすると、よけい意識しすぎて、自信がなくなって、暗くなって、ますます彼に好かれないような変な行動ばかりしてしまいます。一つもいいことありませんよ。

それに自分へのダメ出しは、終わりがありません。結論やゴールがなくて、きりがなくつづくのです。そうやって自分へのダメ出しが止まらなくなってしまった人が、たくさん心療内科に通っています。モヤモヤは、友達や掲示板や日記に吐き出して楽になりましょう。

……といっても、彼に会ったのですよね！ いいなあ楽しそうで、うらやましい♪ どこにいきましたか？ なにを話しましたか？ やはり彼はかっこよかったですか？（笑）

ね、失敗してもいいじゃない。彼に会えて幸せだったのだし、それにデートできたおかげで、あなたの実力を知ることができたのですから。場数を踏むことは大事ですよ。

いずれにせよもう終わったことなのですから、変えることはできません。

はい、もうここでダメ出しはおしまい！ 今からできることをやっていきましょうか。

まとめ 彼に会った幸せを満喫しよう

31 メールの基本ルール

《基本ルール》

1．感じよく、やさしく、無私の愛を感じさせ、かつ長すぎず、しつこくなく、さっぱりと

2．彼があなたとのメールにもりあがっていない、たとえば彼が2日に1回くらいのペースを心地いいと思っているなら、あなたは同じペースかそれ以下（たとえば3日に1回）にする。そうして彼に少しものたりなく、もっとあなたと連絡をとりたいと感じさせる

3．基本的に、自分がなにかをしているときは、返信よりもそちらを優先する

4．返信がないのにつづけて2回も3回も出さない

恋愛本にわざと1～2日後に返信して、彼にもんもんと考えさせ、「あなたより大事なことがあるのよ」的にステータスを上げる駆け引きなどが書いてありますが、これはふつうに考えて彼に失礼ですよね。感じが悪いです（笑）。

こういう駆け引きは、あくまでもお灸をすえたいときに。かつやさしいメールにすることで「私はあなたが好き。私は一人でいても楽しくて幸せ」を表現することなどもできます。

放置して不安にさせるのは、恋愛をしたことがないような真っ正直でうぶ（タイプC・D〈P62〉）、かつあなたを好きでしかたない男性にはよく効きます。まさかあなたが駆け引きをしているなどと思わないので、忙しいと思ったり、心配してくれたり、怒ったり、さびしさをうったえてきたり、あなたが返事をする前にまたメールをくれたりします。

しかし、女性慣れしているような男性（タイプA・B）で、しかもあなたに夢中というわけではない間柄では、自分も駆け引きをしたり、そりゃあ、彼を手に入れたい女性たちからしょっちゅうされるものですから、敏感に駆け引きのニオイを察知して、いやな気分になります。あなたが駆け引きしていると思われた時点で、ものすごく悪印象になるのです。

私の考えでは「自分の大事なこと」や「気分」を優先させた上で出せるときには出してあげると、返信ペースに自然とばらつきがでるので、それでいいと思っています。

あくまで**あなたは駆け引きなんていう言葉も知らないような、天真爛漫な女性だと思われている必要があるのです。**「欲」「要求」「下心」かつ、「必死さ」「余裕のなさ」を感じさせないように、**「あなたが大事」「私も大事」を心がけてみる**と、いいバランスでいられます。

まとめ　わざと不安にさせるのは、お灸をすえたいときに

32 彼からメールの返信がない理由

1. 二人の距離感やメールのペースを、無意識で調整している（本人の意識では「気分」）
2. いそがしいので文面を考えることもふくめ、返事をする余裕がない
3. ほうっておいてもあなたからくるのがわかっているので、あとまわしにしている
4. あなたを好きにさせたいので、駆け引きでわざと遅らせている
5. あなたが駆け引きをしていると思っているので、しかえししている
6. あなたを好きで失敗したくないので、文面を考えすぎたり、緊張しすぎて出せない
7. あなたのことが眼中にないので、メールがきたのを本気で忘れている
8. あなたと縁を切りたいので、あえて返事をしない
9. 携帯をかえた、病気や事故で入院した、海外にいっているなどで読んでいない

まあ、なんともせちがらい話ですが、だいたいこの中のどれかでしょうか。

リサーチしてみると、やはり男性も好きな女性にたいして、「自分からばかり出している」「きらわれたのかなあ」などと、すごく考えてしまっているのですよね。

1〜6の場合、あなたとの関係を切るつもりではないので、そのうちに連絡がとれるでしょう。7と8の場合はきびしい状況ですので、押さずにまずは対等をめざしましょう。

1の場合、メールのラリーが長くなりそうだと、気軽にあなたに返信できないことも。

2の場合、彼からメールがほしかったら、くるまで出さずにいること。あなたが出さない人だと思えば、彼が出すようになります。

また、彼のプライドをくすぐる、彼が思わず、すぐ返事をしたくなる話題にするなど、彼がもっとほしくなるような、「彼のツボメール」を日々研究していきましょう。

4の場合は、しかえし合戦になってはいけません。彼からしかえしの気配を感じたら、「返信おそくなってごめんなさい。メールから元気もらったよ☆ありがとう」のように、返事がおそいことを自覚しているのをあらわすだけでも、彼の感情はすごくやわらぎます。

そしてどの場合にしても、返事がないのに次々とメールをしてはいけません。ガツガツしているように見えて彼はあとずさりしますし、返事をせかされているようで負担に感じます。必死な感じが、あなたのステータスをいっきに下げるのです。

まとめ　必死メールはあなたのステータスを下げる

33 「不安」からのメール？「愛」からのメール？

返事がこない。「まずいこと書いたかな？」と何度もやりとりを見直す。「返信しづらかったかな」「うざいと思われたのかな」とずーっと不安でしかたがない、そんなとき。

「楽になりたい！　またこちらから出してしまおうか。返事をもらえばおちつけるから」

そうしてメールを出してしまったこと、ありますか？

私たちは往々にして、手に入れたい相手に対しては健全な感覚を失ってしまいがち。

「失敗したら終わり！　でもメールほしい」という気持ちが強いほど、おかしくなります。

自分からメールを出しているのに、妙にそっけなく、感じ悪くしたり、そのくせ相手からは親切にされたがるなど、わがままで意味不明な「ひとりずもう」になってしまったり。

また、本当は彼からのメールに執着していて心はドロドロなのに、カラッとした感じにしようとしても、変に不自然になって、顔色をうかがっているのがなんとなく伝わるもの。

「不安」からのメールは出さない、「愛」からのメールしか出さない、これが原則です。

「自分がさびしいから」「メールの返事がほしいから」ではなく、「彼がさびしいだろうな」

「そろそろ出しておかないとすねちゃうかな」「出さないと私の気がなくなったと思ってあきらめちゃうかな、そろそろ出してあげようか」という理由で出すのが理想。

一部の人は不安にかられると、どんな行動をとっても後悔し、さらに不安な気持ちで「いやだったらいやといってください」「もうこちらからメールしません。今まで迷惑かけてすみませんでした」などとメールし、さらにその返事がくるまで平常心を失ったりします。

そのため「さっき変なメールしてごめんなさい。忘れてください」などとさらにメールしたりして、あとから見ると、もうほんと、コメディみたいな自爆と自滅のアリ地獄です。「いやならいってください」……どんなにあなたがうざくても、それをいうのはすごく負担と苦痛です。だって、彼の立場になって考えてみてください。そんなこといいたくないですよね？「いやじゃないよ、ただすごくいそがしいんだ」、せいぜいこういうはずです。

「これは不安から書いたメールだろうか」「愛ならどう書くだろうか」。メールを出す前にこう自分に問いかけてみると、びっくりするほど視界が開けて、見えなかったものが見えてきます。そして今どうしたらいいのか、キレ〜イにわかってしまうのですよ。

まとめ メールを出す前に自分の心に問いかけて

34 失敗しない、あなたからの誘いかた

デートの約束で一番うれしいのは、「今度の日曜日あいてる？　いっしょに映画いかない？」という感じで誘われたときですよね。彼のその「勇気&男気」がうれしいのです。

彼との話の流れで、「へえ！　そこいってみたいなあ」「じゃあいっしょにいくか」「うん、いこういこう！」「じゃあいつにしようか？」。こんな感じに、あなたがナイストスを上げて彼の「じゃあ」を引き出し、アタックを打たせるという決まりかたもいい感じ。

だけど残念ながら、かならずしもこんなふうに彼が誘ってくれたり、いっしょにもりあがったりできるとはかぎりません。

あえて彼から誘うほどではないけれど、あなたから誘われたらいくかもしれない。

もしくは、あなたを気に入っているけれど断られるのが怖いから様子を見ている、誘ってくれるのを待っている、のかもしれません。

彼があなたにたいして、「会う気がない」「よっぽど都合が合えばいい」「本当は誘われるのを待っている」。この中のどれか、くらいはなんとなくわかりませんか？

「ステータスが低くなってもいい、会いたいんだ！　断られるかもしれないけど、とにかくスッキリしたいんだ！」とあなたがきちんと選んだのなら、誘ってみたらいいと思います。

その結果、彼の「現在の」本心がほぼ判明します。**もちろん変化の可能性はありますよ。**

「いそがしい」などと断られ、かつ彼から日程の代替案がないなら、今は旬ではないのでしょう。もしあなたから誘われるのを待っていたのなら、ふつうは代替案があるはずですから。

その場合、このままどんどん誘っても、うまくいく可能性は低いと思います。半年〜1年くらいかけて、タイミングをはかりつつ、じわじわと彼の心をこちらに向けさせることです。

どちらにしても、彼から誘われない、それどころかほうっておいたら連絡もこないという場合、理由はどうあれ今のところ、あなたは「べつに一生会えなくてもいい存在」であることがわかります。彼は淡白な性格か、あまりもりあがっていないということです。

「その日は休みじゃなかった？」と追いつめたり、「いくっていうから一日中待ってたんだよ」などと罪悪感を押しつけて無理に会うことができても、彼があなたに夢中になる確率はとても低いです。彼に負担がかからないよう、軽くさわやかに、が原則ですよ。

まとめ　あなたがきちんと決意したのなら誘うのもOK

35 彼をためすための「ナゾ」な言動はNG！

「彼をためすためのナゾな言動」とは、「理由もいわずに、怒ったり黙ったりする」「ケンカのたびに『もう別れる！』という」などです。

また、「彼の反応をためすために、ほかの人とデートしたことを自慢する」「口実をつけて電話をしてくるが、じつは彼の居場所を確認している」などもあります。

とくに、「前にいったことを守ってほしい」「『好き』『愛してる』と言葉でいってほしい」「クリスマスプレゼントがほしい」などを彼が察してくれないので、ただ黙ったり、不機嫌になって怒りを表現するのは女性によくあることです。

これらは彼に意味不明に不機嫌にされたり疑われている不快さを感じさせ、彼はモヤ〜ッとした、いやな気分になります。

ナゾ行動の特徴は、「してほしいことや不安を素直にいわない」「察してくれないと怒る」「彼を困らせることで気持ちをたしかめる」という感じで、「察しろ、察しろ」という独特の気持ちワル〜い波動が伝わってきます。もちろん彼にとって「♪」の要素はゼロ。

また、雑談メールなども、男性からするとうっとうしかったりします。男性にとって、用件のないメールを出すのは無駄な行動です（ただし、自分が追いかけているときは別）。「さっき起きたー。今日はいい天気だー♪」だけを送られてきても、いちいち返事を考えるのが面倒に感じます。だからせめて「さっき起きたー。今日はいい天気だー♪　日曜日の飲み会いく？　私はいくと思う」など、彼がなにを答えたらいいのかわかるようにしてあると、サクッと返事が出しやすいし、負担になりません。

でもメールのラリーをつづけるために質問ばかりされると、うっとうしくなることも。

言葉や行動の前に立ち止まり、された彼の気持ちを考えるクセをつけましょう。

そして長く愛されるには、「モヤモヤ」ではなく「さわやか」でありましょう。

それにはなにより、あなたが本当はなにをしたいのか、**あなたの心から出ている真のメッセージに気づくこと。**

自分の心がわかると、ナゾ行動をとらなくても、彼の本心を見きわめ、信頼して上手に甘えることができるようになるのです。本心をかわいく伝えていきましょうね！

まとめ　「察してほしい」はうっとうしいだけ

36 「駆け引き」は、二人で幸せになるためのもの

あなたがちょっと気をゆるめると、すぐにあなたを粗末にする彼。この場合そもそも、あなたはあなたを大事にしていますか？　そして二人のあいだに信頼関係はありますか？

あなたは一生小悪魔をやるつもりですか？　本心からかけはなれた駆け引きで疲れ果て、彼を追いかけさせ、では、**いつあなたは彼との時間を楽しむのでしょう？**

駆け引きの目的は「返信は1日後」ではなく、「彼に告白させること」でも「追いかけさせること」でもなくて、**「彼に愛され、彼を愛し、いい関係になること」**ではありませんか？

「私はあなたが好き。私は一人でいても楽しくて幸せ」ができれば、あなたの時間をすべて彼にあけることもなくなり、あなたを粗末にする彼には興味がなくなり、彼の時間や意志を尊重できるようになります。

その結果自然と、いそがしくて返信が翌日になってしまったり、彼のペースを優先して、あなたから連絡せず、自由にさせてあげたりできるようになるのです。

有名な駆け引き本は、あまりに自滅的で自分のすべてをささげてしまう女性への行動療法

として、とても意義あるものでした。だけどいつのまにか駆け引きのルールだけが先行して、「べき」「ねばならない」と絶対至上命令になっているきらいがあるように思います。

べつに追いかけさせなくても、振り回さなくても、二人が対等で楽しくいられたらいいですよね？　そういうあたたかい仲よしカップル、夫婦を、私はたくさん知っています。

正直いって、私は「5段階の3」の対等な関係が一番幸せではないかと思っています。

それに、駆け引きと本心がかけはなれすぎていると、彼が去っていったときに後悔だけが残ります。「感じ悪くしすぎたからかも！　どうせなら本当の思いを伝えたかった！」と。

有名な駆け引き本のとおりにして、見事ゴールインした女性からお話を聞いてみると、結婚したとたんに地を出して夫から愛想を尽かされかけていたり、「指一本であやつれるバカ」と見下している夫を、本の続編のとおりに立て、いっさい本音を伝えない日々がつらくて離婚を考えていたりと、かならずしもうまくいっている人ばかりではないようです。

これを聞いてあなたはどう思いますか？　本末転倒とは思いませんでしたか？

駆け引きにとらわれた頭と心をリセットしてみると、見えるものがあるかもしれません。

まとめ　「べき」「ねばならない」というとらわれをはずそう

5th Stage
ついに彼のカノジョになる

――「エッチしない」
でも「本命になる」
ムードづくり

37 彼の「つきあいたい」が大事なワケ

「つきあう」という意志を確認しあうのはとても大事です。それは二人が、「お互い浮気をしないで『つがい』でいましょう」という契約。もし彼がそれをしぶるなら、その時点でなにかがあるなということを見きわめるための、重要なチェックポイントでもあります。

彼があなたときちんとつきあいたがらない理由は、いくつか考えられます。

1．あなたをそれほど好きではない、2．彼女・奥さんがいる、3．ほかの女性とも遊びたい、4．あなたが適齢期以上なので、結婚までは考えられない、などです。

3と4はある意味1に分類されます。2でさえ、もしかしたらそうかもしれません。

「今は仕事がいそがしくてそれどころじゃない」「お金がないから君を幸せにできない」「離婚の後処理が終わっていない」などといって彼がつきあいたがらない場合、全部とはいいませんが、ほとんどが、本当の理由は上記のどこかに分類されると思っています。

なぜなら、ある女性を心から大好きなフリーの男性が、仕事やお金といった理由でつきあわないのを、私はまだ見たことがないからです。

「契約は大事だよ」と口を酸っぱくしていっているのに、「つきあっているなんて、なんとなくわかるし、そんな風に確認するほうがいやだ」という友達がいました。

彼女は、好きになった男性とつきあっている（？）あいだずっと、愛されているかどうか不安を感じつづけ、数か月後にはうやむや状態で終わり、「体だけだったの？　男性が信じられない」といって泣く、ということをくりかえしていました。

もしかしたら彼女は、彼がきちんとつきあうことをいやがりそうだ、とどこかで感じていて、はっきりさせてその現実と向き合うことから、逃げていたのかもしれません。

告白には、彼自身に彼の意志を確認させるという、大きな意味があります。

彼に楽をさせずに、しっかりと決心して、告白してもらいましょう。

要所要所は彼に決めてもらわないと、あなたは将来不安になったり、彼が「最初から、べつにおれが好きになったわけじゃないし」といいだすことも。実際、押しかけ同棲された男友達が、彼女をふったあとにそのセリフをいうのを聞いて、少し悲しくなりました。

彼に、「つきあいたいと思ったという自覚があるかないか」は、とても大きいのですよ。

まとめ　この瞬間は楽をさせない。決心してもらう

38 映画のように「好き」を演出

多くの場合、「彼女は告白すればOKしてくれるだろうな」と彼が確信できたとき、ハードルが下がって告白できるものです。男性は傷つくことを、とてもおそれるからです。

「なんでその女の人とお茶とかするのー？　くやしー（笑）」「あなたといるといつもワクワクする♪」など、「好き」「つきあいたい」とはいわずにほかの表現で伝え、彼に「あれ？おれに気があるよね？」と思わせると、彼の気持ちはどんどんもりあがっていきます。

また、「よし、二人で駆け落ちするか」「あなたと一緒に世界一周行きたいナー」など本気か冗談かわからない、決定的ではないセリフをいうことで、彼はたまに心をぐらっと動かします。「あなた『みたいな人』好き」という表現と目指すところは似ています。

たとえば映画や小説も「愛の激しさ、やさしさ」「友情の素晴らしさ」「命の尊さ」のように一言でいえることを、あらゆる登場人物や事件、セリフや演出を通じて私たちに伝えますよね。私たちは、話の内容が知りたいのではなく、その演出が見たいのです。

たとえば、遠ざかる彼の姿を見ながら肩をふるわせて泣いていたり、彼女の忘れていったマフラーにほおずりする演出などで、間接的に「好き」「愛している」を表現します。

それと同じで「好き！」というかわりに、「昨日部屋に帰ってきて、あなたの写真に『ただいま』っていっちゃった」「あなたのことを思い浮かべると、ほほえんじゃってるみたい。会社でつっこまれたの」などということで、心にじんわり残る愛情表現ができるのです。

「好き」「愛してる」の言葉は、ストレートでもちろんうれしいものですが、何度も思い出してしまうのは、「好き」を演出した表現だったりします。無限の豊かさがあるからです。

こういう表現は告白してもらいたいときにかぎらず、どの段階でも使えます。

たとえば普段は全然好きというそぶりも見せず、ぜったいおれに気がないだろうなあ、と思っているであろうときにこんなふうにいうと、彼はあなたの真意がわからなくて混乱します。そして彼はあなたのことを意識してしまい、一人のときに考えてしまうようになっていくのです。それがいわゆる、うまく**「気をもたせる」ことの効果**です。

そしてそろそろ告白かなという時期になったら、回数をふやして彼に確信させてあげるなど、調整しやすい「好き」の表現です。ぜひ使ってみてくださいね。

まとめ　心にじんわり感を与える間接表現を使おう

39 恋人の空気感はこうしてつくる

私の調査によると、名字で呼んで「ですます調」で話す関係からよりも、「すでにおれたち、つきあってるっぽいよね?」という雰囲気からつきあうカップルが多いようです。

その空気感を出すには前述の「セット感」、そして「素のテンションでいる」ことです。

たとえば褒めるとき、基本は「うれしい!」「さすが!」など、感情をわかりやすく表現しますが、中級になると「彼がすごいのはあたりまえ」という雰囲気を出すのです。

デキる、プライドのある男性ほど、「あなただったら軽かったでしょ」「どうしたの、今回はちょっと苦労してたね」のような、「あなたができるのは当然としてわかってる」というふつうのテンションのほうが、オーバーに褒めるより、「この女、おれの能力をわかってるな」「そのへんのミーハーとはちがうな」みたいに一目おかれることが多い気がします。

ふつう恋人になって半年もたてば、「ちょっと上着とって。あ、サンキュ」「そうそう、昨日の案件断られちゃってさあ」のような素のテンションになってきます。

私は夜の仕事でもプライベートでも、なるべく早めにこのテンションにするように心がけ

ていました。実際のつきあいの浅さをとびこえて、親密さを先どりしてしまうのです。

もちろん相手によっては、いつまでも「あなたってほんとすごい！」という感嘆系のテンションのほうがうれしい人もいるので、そのあたりは見きわめていく必要があります。

とあるキャバクラのナンバーワンも、毎日その日に食べたものや、今日なにをしていたかなどを、たくさんのお客さまとメールでまめにやりとりして、素の親近感をもたせていました。

恋人気分を共有し、つきあってるっぽい雰囲気になってしまうことで、心地よいいやされる存在として、彼の中に入り込んでしまえばこちらのもの。

また、わざとけなす感じで「えーっ、5分でハンバーガー3個食べるなんてヘンタイだよー（笑）」などからかってみるのも、距離が縮まってグッと親密感がただよいます。

さらにオススメは「小声で話す」こと。映画見てるときに「前の人じゃまだねー」とか、買い物しているときや電車などでも「のどかわいたー」とかなぜか小声で彼に話しかけると、必然的に顔と顔も近づきますし、「二人だけの秘密」という感じで、びっくりするほどの「つきあってる感」が出てしまうのです。ぜひおためしあれ。

まとめ　小声も仲よくなれる必殺テク

40 この一言が彼の心に火をつける

恋人のような空気とはいえ、告白される前はあなたは彼の恋人ではありませんし、彼にあなたをしばる権利はありません。あなたはだれと遊びにいくのも、デートするのも、つきあうのも自由です。

「彼女には楽しいことがたくさんあるしモテるから、つきあっておかないと」「いつ会えるかわからないのはいやだ」と思ったとき、彼はあなたをしばりたい、つきあいたい、と思います。

また、彼があなたに告白してつきあいたいのに、最後のきっかけがない、というとき、**嫉妬や焦りの感情が背中を押してくれることがあります。**

たとえば不動産屋などで、「買え買え」「借りろ借りろ」と要求を出されると、「そんなに借り手がいないのか」と冷静になることがあります。

ところが「この物件は内見《ないけん》にきた人が二人いて、月曜日に連絡がくることになっているんです。今日ならあなたが契約できますよ」のようにいわれると、「誰かにとられてしまう」という私たちの焦りの感情が刺激され、いそいで契約することがあります。

だから彼があなたのことを好きなら、たとえば「サークルに、何度もつきあってっていってきてる人がいるんだ」「なんか、モト彼が会おうとかいってきてさ」などとサラッというと、彼は内心「早く告白しないとほかのヤツにとられちゃうかも」と思って焦ります。

そうやって彼はあなたを好きだという自覚を強め、「今のままだらだらしていたら、彼女がだれかとつきあってしまうかもしれない、その前に告白しよう」と心を固める可能性が高くなってきます。

ただ、焦らせる場合も、小ざかしいウソはバレたら信用をなくしたり、うしろめたくなったりして長い目で見て損ですので、できるだけ本当のことだけをいったほうがいいでしょう。

「彼はきっと私のことが好き。『つきあってるの？』って聞いてみよう」といそぐよりも、もう少し待って、彼に「早く自分の彼女にしたい。いついおうかな、公園に誘おうかな」などと考えてもらって、告白してもらいましょう。

彼はドキドキしてどんどん気持ちがもりあがりますし、あなたも彼の気持ちがしっかりと確認できて、つきあったあとも安心なのです。

まとめ　でも、小ざかしいウソはつかないこと

41「体の関係」と「つきあうこと」は別モノ

自分に好意がない彼に、とにかく体をあたえてなんとかしようとする女性が多いですが、これはあまりに考えなしの行動です。セックスとつきあうことは別モノという男性も多いので、彼女たちの多くは、「セフレでつらい」「彼女になりたい」「愛されたい」と苦しみます。男性にとってセックスとは、よほど全身全霊で愛さないかぎり、自分の「部分」しか出さない、使わないもの。だけど多くの女性にとってのセックスは、自分の「すべて」を開くものです。だからセックスしてから、彼が彼女を愛していないことや、彼女と本気でつきあう気がないのを知ると、すべてを否定されたように傷つきます。

男性は基本的にいつでも新しい女性と関係をもちたいので、関係をもつことは簡単ですが、それは彼の本命になるのにあまりよい方法ではありません。

タイプA・Bの男性たちから、「おれを夢中にさせてほしいんだ。おれをハマらせてほしいんだ。それを待っているのに。自分を安売りしないでほしいのに！」という声をたくさん聞きました。多くの女性は彼らの魅力に負けて、自分で自分を安く見積もり、ステータスを下げ、プライドを捨ててしまっているようなのです。

彼らは本気でつきあえる人をさがしているのに、彼女たちがすぐ体を開き、自分の時間や心をささげてしまうので、セックスできても残念でむなしい気持ちになるようです。

人気ホステスやママは、そうそう簡単には体なんて与えません。だけど、いえ、だからこそ男性は、彼女たちを特別な、価値のある女性だと思ってハマります。

それは、自分の体を妙に過大視してもったいぶることとも、また少しちがいます。

体をもったいぶるのは、ただの彼女のエゴと傲慢さです。一方、価値ある女性に見せる演出とは、自分自身を大事にすること、そして彼にたいするサービスでもあります。

なぜなら彼も、つきあったりセックスをするなら、たたき売りのバナナのような女性よりも、貴重な宝石のような女性のほうがうれしいのですから。

セックスについて、私がむかしから思っていることがあります。それは**「セックスはいつでもできる。だけどセックスしたら、していなかったときにはもどれない」**。

そう。そんなにいそぐ必要なんて、ないのです。

まとめ　自分を大切にするのも彼へのサービス

42 思わず告白してしまう「告白スイッチ」

ボディタッチは男性に、「おれに気があるんだ」と思わせる、もっとも効果的な方法です。

銀座ホステスだった友達と、お客さまに誘われたらどうするか、という話をしていたときのこと。彼女がいうには、お客さまは「こいつはおれのことを好きなんだ」と思うと、彼女が誘いをことわってもお店にきてくれるのだとか。

「じゃあどうやってあなたがお客さまのことを好きだと思わせるの？」と聞くと、「**さわる。**歩いているとき、軽く腕を組んだりする」と即答でした。

また、別のお店で一緒だった友達に「好きな人に告白させるときどうしてる？」と聞いたら、「公園とか夜景とかで告白のムードをつくる、あとは**ボディタッチ**」と即答。

さらに、むかし働いていたキャバクラで、あるお客さまのヘルプについたときのこと。彼の指名ホステスが席をはずしているとき、そのお客さまがいっしょにきた友達に、「あいつと飯食いにいったんだけど（おそらく同伴）、歩いてると腕組んでくるんだよ〜。あいつおれに惚れてるんだよな〜♪」とニヤけながら本気で自慢していました。

アホみたいな嘘みたいな話ですが、**男性は、女性のほうからさわってくると、反射的かつ本能的に、「こいつはおれのことを好きなんだ！」と単純に信じてしまい、かつ、すっごくうれしいのです。**とくにタイプC・D（P62）にたいする効果は絶大なものがあります。

だから、彼があなたを好きで、つきあいたい、告白したいと思っている場合、あなたが軽く彼の腕をさわったり、組んだり、肩にもたれたりすると、顔はふつうにしていても彼は舞い上がるくらいうれしいものなのです。

そして理屈ぬきであなたの好意を確信し、思わず「好きだ」とか「つきあいたい」と口ばしってしまったりします。

ボディタッチは、あなたとつきあいたいと思っている彼に、告白してもらうスイッチみたいなもの？（笑）

ただし女性からさわられると、「今夜イケるかも」「誘ってるのかも」と思われる確率もはね上がります。あなたはきちんとつきあっていない相手とそんな関係にならないのですから、気をもたせるだけで家に帰りましょうね。

まとめ イイ感じになったら、さりげなくタッチ

43 あなたは「本命」？「セカンド」？「セフレ」？

あなたがセカンドやセフレの場合、彼はいろいろなことをはっきりさせません。そして質問させない空気をかもしだします。思いきって二人の関係を聞いても、ストレートに答えず、論点をぼかしたりずらしたりして、煙にまいたりします。

あなたが彼の本命女性なら、以下の特徴があるでしょう。

「彼の家族や友達に彼女として紹介してくれる」「学校や職場、趣味の場所など、彼のテリトリーにどんどん連れていってくれる」「誕生日やクリスマス、バレンタインデーなどイベントをいっしょにすごす」「あなたが会いたいときに会える」「おしゃべりやご飯だけでバイバイすることもある」「彼の生活パターンやスケジュールをほぼ把握している」などです。

あなたがセカンドかどうかは、不倫を見ぬくのと同じで、「イベントに会えるかどうか」「彼の家族や友達に、彼女としてきちんと紹介してもらえるかどうか」がポイント。本命とは遠距離ということもあるので、イベントに会うだけでは確実ではありません。

あなたがセフレなら、彼に、以下のポイントが複数あてはまるでしょう。

「会うのは家かホテル。ほとんど外でデートしない」「ご飯だけ、映画だけというデートがない」「夜しか会わない」「プレゼントや旅行など、準備が必要なものがない」「好きとはいってもつきあいたいとはいわない」「積極的に好きとか愛しているといわない」「あなたが会いたいときには会えず、会うときは彼の都合」「セックスするまではやさしくて熱心だが、終わったら冷める」「頭や体をなでたりなど、あなたをいとしいという態度がない」「あなたのいったことや約束したことをよく忘れている」「基本的にあまり会話がなく、会話がもりあがらない」「クリスマス、彼の誕生日などのイベントにはいつも会えない」など。

つまり、セックス以外のことは無駄という思いが、上記の行動となってあらわれます。

そしてあなた自身も、「私は本命ではないな」とうすうす気づいているものです。

だけど肝に銘じておいてほしいのが、「あなたをセフレあつかいするひどい男性」が存在するのではなく、**「セフレあつかいを許す、惚れた弱みをもった女性が、セフレという2人の関係をつくっている」**のだということ。

あなたが今の関係をつづけるのかやめるのかを、決めることができるのです。

まとめ あなた自身もその関係をつくっている

44 セフレでも あなたの意志で 堂々と〈一句〉

あなたは彼の本命の彼女になりたいけれど、彼とセフレ関係になっているとします。

だけどどんなときでも、あなたには「この関係はいやだ」と終わらせる権利があります。「つきあうまでは関係をもたない。つきあったら関係をもつ」。これだけでいいのです。

あなたと彼は対等です。彼が選ぶ立場で、あなたが選んでもらう立場なんて決まりは、あなたの中にしかないのです。

彼は、今のところあなたとつきあいたくはないけれど、セックスできるならしたい、と思っています。でもあなたがいやなら、それは実現しないのです。

あなたがモヤモヤしながらも行動をしているときに、「被害者意識」が発生します。

だけど実際、被害者でもなんでもないのです。拉致されたわけでもナイフでおどされたわけでもありません。彼が去っていくのが怖くて、そうしているのはあなたの意志です。

私はむかし、ある男性に4年間ハマっていて、彼の彼女になりたくてしかたないのに候補にもなれませんでした。今振り返ると、「どうせ私は彼女になれない」「彼は浅はかで見る目がないから」「つきあっている彼女よりも、私の愛のほうが本物なのに！」というロマンにひたり、そんな自分に酔って泣いていたかったのだなあ、と思います。

世の中には、セフレから本命になった例など、いくらでもあります。

都合のよいキープから結婚した例も、いくらでもあります。

「セフレ」と固定されて変わらないものではなく、関係なんて、あなたが変わる、または彼の状況や気持ちが変わればいくらでもうつろい変化する、もろいものなのです。

「セフレでつらい」という女性のお話を聞くと、たいてい「好きだからつきあいたい」ということをきちんといっていないのですね。そしていったとしても、彼にはぐらかされると、結局彼とはなれたくなくて関係をつづけ、彼の思いどおりになってしまっています。

問題はそのときです。「被害者意識」をもちながら関係をつづけないでください。被害者意識はあなた自身から「どうせずっとセフレ」というセフレオーラを出してしまうのです。

もしもつづけるなら、**「私がしたいからする！」**と堂々としましょう。そう思えなければ関係をもつのをやめましょう。そのリンとした姿からは、本命オーラが出ているのです。

まとめ　リンとした態度こそが本命オーラの源泉

6th Stage

男ゴコロをちょっぴり振り回す

――「追わない」でも「トリコにする」振る舞いかた

45 男性全員を味方につける！

いろいろな女性から相談を受けると、彼を好きというよりも、絶対失敗できない試験とか、命をうばう危険のある敵のように感じている人が多い気がします。

私たち女性は、好きな男性と両想いになりたいときや彼氏のことで悩んでいるときなど、つい男性を敵のように怖がって、自己防衛してしまいがちなのですね。

だけど、もしハムスターとか犬を飼うときと同じように、彼らの習性（失礼！）をわかっていたら、そして彼らはただその習性どおりに生きているだけだということがわかっていたら、被害を予防できますし、おこったことを正しく理解できます。

ハムスターはうしろからつかもうとすると、あなたの手を噛みます。前から自然に手を出せばいいのです。それを知っていれば「このハムスターは私をきらっているんだ！」「こんなに凶暴だなんておかしい！」と傷ついたり、ショックを受けることもありません。

同じように男性の性質、男女の関係のパターンを理解していれば、とつぜん彼からふられたとしても、なにがその結果を招いたのかを理解し、納得し、学び、無駄な憎しみがわくことなく、前を向くことができるのです。さびしさやむなしさは当然残りますが……。

男性って根はすごく親切。それにやさしいし、いいところを見せようとがんばってくれるし、助けてもくれる。自分を大きく見せようとかっこつけるところも、とてもかわいい。

あとあと面倒になるとわかっていても性欲に勝てなかったり、本当は怖がりで、人から否定されることや失敗すること、どなり声なんかをおそれているのだなあ、などとわかると、怒るよりも、警戒して身構えるよりも、包んであげたくなりませんか？（笑）

彼らだって、本当は私たちを傷つけるような行動などしたくないし、女性には笑って喜んでいてもらいたいのです。だけど、子どもみたいに自己中だったり、扱いかたを間違えると意固地になったり、プライドが傷つき、怒って心を閉ざしたりしてしまうのですよね。

男性はほとんど、プライドと性欲だけで生きているといってもいいような生きもの。

そのことさえあなたの血肉となっていれば、出会うすべての男性をあなたの味方にすることも可能です。男性がかわいく思えて、「みんな私の味方！」と思っている女性には、余裕と魅力があります。あなたも全男性を味方にしてしまいましょう！

まとめ　女性を傷つけたい男性はいない

46 彼が推理する部分を残しておこう

人はあまのじゃくで、「隠されていることは大事なこと」だと思う生きもの。相手からどんどんあけっぴろげにされると、たいした価値がないと感じたりするのです。

あなたが彼にわかってほしいこと、聞いてほしいことがあっても、こちらから「見て」「聞いて」「わかって」というと、「うるさいなあ」と聞きたくなくなるものです。

逆に、いわずに黙っているなどしていると、彼が「ねえ、どうしたの?」「いいから教えてよ」と聞いてきたりします。**あなたがいいたいことは聞かれてからいうと、彼は「自分が聞きだした」と感じ、きちんと聞いてくれます。**

また、「メール攻撃してもいい?」などというのにメールをしない、「好きかも」などとドキッとさせることをいうのに誘わない、彼よりも、友達や趣味を優先させてとてもアッサリ、などしていると、「おれのこと好きなのかな? どうなのかな?」と思います。

さらに、本当は彼と親しくなりたかったり、彼のテンションをはかるためのメールだとしても、用事をつけることでその目的が相手に伝わりにくくなり、「おれのこと気になってるのか？　それとも本当に用事だけなのか？」とわからなくさせることができます。

あなたの思いがバレバレになる言動とは、「ちょっと連絡が取れないと何回も電話やメールをする」「ほかの女性の話が出たときに怒る、ストレートに怒らなくても態度がトゲトゲしくなる」「会ってくれないからさびしい、といつもいう」「『好き』『愛してる』と言葉にしてほしい、といつも要求する」「つねに彼のいいなりになっている」「よくあなたから体の関係をせまる」「いつもあなたからメールや電話、デートの誘いをする」「いつもあなたばかり、彼との将来の話をする」などです。

このような行動をしていると、男性は「こいつは俺にベタ惚れだな。余裕だな」と感じ、ドタキャンしたり連絡がへったりします。頭がよくキャリアがあり、すごく好みで美しい女性でも、こういう行動をくりかえしていると、色あせて魅力的に見えなくなるのです。

彼の心をずっとつかんだままでいるポイントは、彼がいつでもあなたと「もう少し近づきたい」と思う距離にいることです。

３６５日、本心まる出しではなく、彼が推理する余地を少し残しておいてあげましょう。

まとめ　「もう少し近づきたい」距離感を大切に

47 彼をあなた好みに調教するのはカンタン！

調教の原理ははっきりいって簡単・単純で、意識すればだれでもできるようになります。

うれしいことをしてくれたら喜ぶ、褒める。いやなことをされたら、いやだというのを出す。

たったこれだけです。これを、時間をおかずその瞬間にやってください。

たとえば彼からプレゼントをもらったとき。あなたがこれからも彼からプレゼントがほしいなら、もらった瞬間、そして開けた瞬間に、満面の笑みで喜んでください。

「ほんっとうれしい！」「大事にするね！」「さがしてたの！」など、あなたの考えうる最高の表現方法を使って、喜びを表現します。

彼は「こんなものでこんなに喜んでくれるなら、またあげよう」と思います。彼がプレゼントを選んでいるときに想像しているのは、あなたの大喜びする姿なのですから。

逆に彼が、連絡するといってしなかったり、悪気はないとはいえ「さきに飯食ったよ、お前は残飯でも食ってれば」など笑えない冗談でもいってきたとき、もしあなたが傷ついたり不快になって今後してほしくなかったら、愛想笑いをしてはいけません。

「今のはちょっと失礼だなあ」「なにそれ」「やめてほしい」ときちんと伝えます。

だけど、いつまでも引きずったり、前のことをもちだしたりして感情的に怒るのは、頭の悪い女性だと思って見下されるのでNG。あくまでその瞬間に伝えて終わりにします。

残念なことに、多くのまじめな女性は逆の調教をしてしまいがちです。

うれしいことをされると、困ったような顔で「悪いよ」「いいの？　高いんじゃない？」と遠慮。そしてぞんざいにされると不安になって、もっと尽くしたり、たくさんメールや電話をしたり、会いたがったりして媚びるのです。

このような**逆の調教をしてしまうと、彼は逆のことを学んでしまいます。**

つまり、「こいつは、おれが喜ぶようにがんばっても反応がないし、困るだけみたいだ。逆におれが不機嫌になればなるほど、おれの思いどおりになるようだ」と。

また、女性に多いのが、その場でいわないであとから「あのときのことだけど」という。そんなこと彼は覚えていません。すばやく表現すればするほど、効果的に調教できます。

調教の**ポイントは、「わかりやすく」「すぐにその場で」「サラッと」伝えることです。**

まとめ　間違った刷り込みはしない

48「なんでもしてもらえる女性」の共通点とは？

何年か前のバレンタインデー。一度会ったとき一目惚れしてしまったクラブのママのお店に、GODIVAの2粒500円のチョコレートをあげにいったことがありました。「すごいもの、もらい慣れてるんだろうな……」と、おずおず小さな紙袋をわたしたら、パッとママの顔が輝いて、「あらー！　買ってきてくれたの？　私に？　いいの？　うれしいー！」と大喜びしてくれ、「本当にあげにきてよかった！」と、帰りはとても満たされた気持ちでした。

女性の私でもこれだけうれしいのですから、男性ならもっと満足感があるでしょう。

ママのこの反応が100点満点なのです。「こんなことで、こんなに喜んでもらえるなら」と、どんどんいろいろなことをして、喜ぶ顔がもっと見たくなってしまうのです。

また、このママから盗んだ、男性に「もっとプレゼントしよう」と思ってもらう裏ワザとして、「もらったものをほかの人に自慢する」というものがあります。

プレゼントしてもらったら、それを彼の前で、「見て見て、これもらっちゃった、いいでしょ！」と、友達や家族などに見せるのです。そのプレゼントを二人だけで終わらせないで第三者を巻き込んで自慢すると、彼はプライドがくすぐられて、またあげたくなるのです。

さらに、ホステスだった女性は、彼氏やだんなさんに家事をやってもらうのもうまい。

彼が少しでもしてくれたら、「器用だねえ！」「私がやるよりうまいよ」「センスあるよね」などと褒め、「俺さまにかかれば、こんなもんだ」と、どんどんやってもらえるのです。

「あなたはなにもしてくれない」「これじゃ私がやりなおさないとだめじゃない」などと文句ばかりつけて、いつも怒っていては、彼のやる気もなくなるというもの。

「なんでも素直にしてもらい、素直に喜ぶ女性」は、男性からいろいろなことをしてもらえ、かつ、まるごとかわいがられ、愛されます。

ものを買ってもらう、なんでもしてもらうというのは、なにもしないのにただもらっている、得しているのではないのです。ある意味彼女たちは努力しています。それ以上の目に見えないプレゼントをしているから、ものやサービスをもらえるのです。

つまり、ものをあげている人のほうが「うれしさ、満足感」という点で得しているということも大いにあるのですよ。ＧＯＤＩＶＡ2粒で大喜びしてもらった私のように。

まとめ 目に見えないプレゼントが男心をつかむ

49「させられている感」はぜったいNG！

あなたは小中学生のころ、お母さんに「勉強しなさい」「宿題は終わったの？」「そろそろ中間テストでしょ？」などといわれたことはありますか？

そのときあなたは「わーい！　勉強したいな☆ウキウキ♪」と思いましたか？

私は、「やるから！」「わかったよ！」「今やろうとしてたところなのに！」と、チョー不機嫌に怒って返事をしていました。そこには不快感しかありませんでした。

彼に「メールしてよ！」「電話してよ！」「もっと会おうよ！」と、怒りながら要求をそのまま出す女性がいますが、これはお母さんの「勉強しなさい」と同じです。

彼はうんざりしますが、それをいうとまた面倒なので「わかった、できるだけするよ」といって、しばらくはいわれたとおりにメールをしたりします。でも「させられている」だけですので、私たちの勉強と同じで、すぐいやになってやめてしまいます。

あなたは彼にも自発的にあなたを求めてほしいのですよね？

それなら、彼に**「させられている感」をけっして感じさせてはいけません。「どうしたら彼**

がメールや電話をしたくなるだろう、会いたくなるだろう」と考えて行動しましょう。

彼からはメールも電話もない、ドタキャンが多いなどというとき、彼は「連絡がくるのがあたりまえ」「あいつはおれのことが好きでしかたない」と感じていることでしょう。

なぜならあなたが連絡やデートを要求する、または押せ押せだからです。

それなら彼から連絡がくるまでいっさい連絡するのをやめれば、彼は「いつものおれに夢中で必死なあいつとちがう」と気づきます。そしてそのうち連絡がくるでしょう。

それにたいして、あなたも彼と同じかそれ以下のテンションの返事を出していると、「男ができたのかな？」「冷たくしすぎたかな？」とあなたの本心を知ろうとし、あなたからの返信を貴重に感じたり、あなたに会って安心しようとします。

このとき、ようやく「彼から」「彼の意志で」連絡をしたり会うようになっているのです。

連絡や会うことが「義務感」になると、彼はあなたを好きかどうかわからなくなります。

あなたとのメールや電話、デートが楽しく感じられれば、彼から求めてきます。

そのためには、あくまでも**「おれがしたいからしている」**と、いつも思わせることです。

まとめ　どうしたらそうしたくなるかを考える

50「恋の手綱」にぎりつづけるのは かならずあなた（字余り）

彼があなたに「そんなに食ってるとブタになるぞ」とからかってきたとします。

そのときに、アハハと愛想笑いするイイ子より、「ほんっと、うるっさいわあ」「ふん、ブタにいわれたくないブヒ！」などといいかえされるほうが、彼はグッとくるものです。

ホステスを見ていても、従順でなんでもいうことをきく女性はあまり人気がありません。

10代でお水をはじめたばかりの私は、オジサンたちがみんな同じに見えて興味がもてないし、意志とか要望を出すのも怖いので、笑顔でうなずいていただけでした。

誘われても断わりかたもわからず、困って苦笑いするだけだったり、「でも……」とか「えーと……」とオロオロしてしまい、完全に相手に手綱をわたしてしまっていました。

男性はこんな女性より、**ちょっと生意気で、いいなりにならない女性のほうがハマります。**

人気のあるホステスはプライドをもっていて、あなたを尊敬していますよ、とやさしく見せながら、じつはお客さまのいいなりにはなりません。

友達のナンバーワンの言葉を借りると、**「手綱はけっしてわたさない」**のです。

もちろんお客さまとして接するかぎりは、プロとしてきちんと奉仕し、気づかいをし、要望はできるかぎりすべてかなえ、居心地よい空間と時間を提供しようと気をくばります。

しかしお客さまの、出すぎたり、失礼な言動は、笑いながらでもきちんとたしなめます。「今夜はオレと泊まろうよ」といわれても、「あら、今日はオバサンみたいな下着だからダメよー」「私のスッピン見たら、心臓マヒおこすからやめたほうがいいわよー」などと、相手のプライドが傷つかないようにやんわり、だけど確実に断るのです。

基本は、「決して感情的にならず、あくまでやわらかくやさしい態度」だということ。

男性は、「だめなことはだめ」といえる、プライドをもち、自分自身を大事にしている女性、そして彼のプライドをけっして傷つけない女性を、大事にするし好きになります。

彼は彼のペースであなたを口説いたり、強引にホテルにいこうとするかもしれません。

そんなときに「きらわれたくないし……」と彼のいいなりになる従順な人形のようにいるよりも、あくまであなたのペース、あなたの意志をもっているほうが、彼はあなたにハマるのです。イイ子だから好かれるというのは誤解ですよ！

まとめ　意志をあらわすオンナにオトコはハマる

51 どうして「恋の手綱」をわたしてしまうのか

どうして私たちは、好きな彼にこんなにも振り回されてしまうのでしょう。

彼との恋の手綱をにぎるには、なによりも**あなた自身の手綱をにぎっていられなければなりません。**自分をコントロールできないで、彼をコントロールできるはずがないのです。

頭では「私は一人でいても楽しくて幸せ」が足りない、とわかっていても、理屈ではないところで彼に異常な執着があって、自分がコントロール不能になったりしませんか？

たとえば、気づくと彼のことしか考えていない。あとで苦しむとわかっているのに、連絡がくると関係をもってしまう。彼と会うために仕事を休んでしまった、などです。

このように、理性ではわかっていてもコントロールできなくなる理由はなんだろう、とつきつめた結果、麻薬中毒の状態と同じになるからだ！　ということにいきつきました。

つまりあなたは麻薬をください、と彼に乞うているジャンキーになっているということ。だから彼が麻薬の売人のように、あなたの気分や幸せを全部左右できるのです。そして彼にふられて「強制終了」されるまで、あなたは麻薬のドレイでいるというわけです。

ふられるということは、依存していた麻薬を断たれるため、身を切られるようにとてもつらいものです。そして、もうあの快楽は味わえないという絶望から、虚脱感、無力感を覚えたり、うつ状態などになります。しかし時間がたてば、麻薬が抜けて立ちなおれるのです。

つまり恋とは、依存症状そのものなのですね。「彼が好き」というのは極端にいうと、「彼は私の脳に快楽物質（＝麻薬）をくれる。これがあればつまらない日常が気持ちよくなる。だからどうしても、好きなときにその麻薬をもらえるようになりたい」ということです。

ホステスはお客さまにたいして麻薬が出ないから、手綱をいとも簡単ににぎっていられます。しかしひとたび恋に落ちて麻薬中毒になれば、プロもアマも同じなのです。

恋愛に異常にハマる人は、つまらない人生から、手っとりばやく生きる実感を得られる恋愛に逃げていることが多いです。だけど、逃避の恋愛では幸せになれません。

「私は一人でいても楽しくて幸せ」のためには、彼なしでも夢中になれる生きがい、「やりたいこと」「やれること」「できること」の三本柱がそろうものにハマりましょう！

そうすれば理性が麻薬に負けることなく、あなたが毅然と手綱をさばけるのです。

まとめ　逃避の恋より三本柱で見違える

52 彼の「言葉」よりも本音を語るモノ

あなたは男性にデートに誘われたとき、「あなたはキモいから、いやです」と断りますか？

人は相手が傷つくことを面と向かっていうわけがありませんので、相手の言葉を鵜のみにするとどんどん混乱して、今なにがおこっているのかわからなくなってしまいます。

彼の言葉は、あなたをどう動かしたいのかという彼の意図を、彼の行動は彼の本音をあらわしています。言葉と行動が一致していればいるほど、その人はいわゆる正直ものです。

人の言葉の意図を読みましょう。そしてほとんどの場合、本音は行動にあらわれます。

(例)「かわいい」「好き」といってくれたのに、関係をもったあとで、「会いたいんだけど、いそがしいんだ、ごめんね」といわれ、会えなくなった。

・言葉（意図）：褒めて心と体を開かせる↓面倒なことにならないよう、やわらかく断る

・行動（本音）：関係をもちたかった↓そのあと会う気はない（正確な理由はわからない）

半年経っても連絡がこなかったら、「いそがしい」というのはいいわけだったということがわかります。彼の行動から、「あなたに会う気がない」という本音が判明するのです。

彼の言葉を鵜のみにする女性は、「友達に、『目的は体だけだったんじゃない？』っていわれたんだけど、本当？」などと、彼に聞いたりします。そして彼の「そんなわけないじゃん！仕事が一段落ついたらまた連絡するから」という言葉にすがるのです。

しかし彼が「友達のいうとおりだよ」というわけがないのをわかっていたら、質問することの意味のなさに気づくはずです。そして黙って、彼の行動から本音を推測するのです。

会う気がない正確な理由はわかりません。しかしあなたに会いたいのか、会いたくないのか、あなたを必要なのか、必要でないのか、とりあえず彼の「意志」はわかります。

逆に口下手で「好き」といってくれないけど、いつも家まで送り迎えしてくれる、会いたいときは会いにきてくれる場合は、行動からあなたを愛していることが推測できます。

どちらの場合も、質問をしても本音は聞けませんが、行動が物語っています。

言葉を鵜のみにする人は、相手に振り回され、手綱をわたしてしまいます。

言葉と行動から、相手がどんな打算をもっているのか、本当はどうしたいのかを読むようにしましょう。そして行動だけを見ていれば、シンプルな真実が浮かびあがるのです。

まとめ　質問よりも行動から推測しよう

53「特別な女性」は彼に期待しない

相手に変わってほしいと期待していると、いつまでも「変えろ」「変われ」とばかりいう羽目になります。100点満点を求め、足りない部分に不満をもつ発想なのです。

でも人間は、「そのままでいいよ」と思っている人にたいして心を開き、安心し、「この人の望むように変わってあげたい」「望みをいってほしい！」と思うもの。

そして、「こうしろああしろ」「もっと望みどおりになれ」「私の希望をかなえろ」と自分を否定する人間にたいして、いわれたとおりにしたくなくなるものです。

「期待しない」なんていうと一瞬さみしい気がしますが、**期待しない女性は男性から見てとても愛情深く、そして「大きな女性」です。**

期待しないから、どんなに小さなことでも喜べるし、感謝ができ、けっして「してくれてあたりまえ」にはなりません。

期待しないから、彼がなにかをしてくれなくても、頭にこないでいられます。

期待しないから、彼が自分のもとを去っても、どなったりわめいたりせずにいられます。

涙をこぼしながらでも、「今までありがとう。楽しかった」といえるのです。

期待が、失望や苦しみ、怒りを生み、彼がうっとうしがる行動をあなたにさせてしまいます。ここでいう期待とは、つまり「依存」と「ネガティブな甘え」のことなのです。

不思議なことに、「もう会えなくてもいい」と思っているほうが、いつまでも会えます。そして、「別れてもいい」と思っているほうが、いつまでも別れません。

執着のなさは余裕につながり、余裕は魅力につながります。

「私を好きになるのも、キライになるのも自由」と、相手の意志を尊重できれば、愛されつづけます。なぜなら、あなたが空気のように軽やかで、彼は自由でいられるから。

そして自分にもたれかかってこないからこそ、いつまでも、あなたがどこかにいってしまいそうな気がするのです。

彼に期待していない女性は、あっさりしていて、余裕があって、男性からしたら稀有で、ミステリアスです。

そして男性は、そんな「特別な女性」に振り回されてみたいものなのです。

まとめ 執着のなさが魅力につながる

54「ちょっぴり翻弄」で彼は完全にあなたにハマる

男性が振り回されながらも彼女にハマってしまうとき、彼らは自分があたえている以上のものを、彼女から得ていると感じています。

そして、本当に気持ちよく男性を翻弄することができる女性は、男性を成長させたり、学ばせたりすることができるのだと思います。

お水をつづけているうちに経験値を上げた私は、お客さまに、「君にとって僕はお寿司なんでしょ」「高いもんばっかり、ほんとよく食うよなあ」などと笑われるようになりました。

だけどそれも、おちょくらせてあげる、というサービスの一環。

「肩もんでー」「ついでに私のタバコも買ってきて」「仕事なんて休んで、飲みにきなさいよ」「シュワシュワするお酒（ドンペリなど、笑）飲みたいな～」など、ホステスはなじみのお客さまにずうずうしくいっているけれど、全部彼らが喜ぶとわかっているのです。

だってそのセリフって、まるで彼女か奥さんみたいじゃありません？

だからあなたも、あなたの欲求を満たそう満たそう、という気持ちで彼に接するのではなくて、彼はどんなふうにされたら喜ぶのかな、と考えながら接してあげると、彼の心をつかむことができるはずです。

どうしようもないわがままでも、「こいつ自分の飲みもの、一回もとってきたことないんだもんなー」とかいいながら、ネタにして喜んでもってきてくれたりするのは、その女性が空気を読むのにたけていて、彼にたいするこまやかさと愛があるからなのです。

そして、ただふんぞりかえって一方的にしてもらうだけではなく、ちょっとしたときに「あれは大丈夫なの？」「私はいいからいってきなよ」などと気をきかせたりするから、ますますハマります。

じつは男性は、女性にハマりたいし、ハマっているのがうれしくて自慢したいものです。

上手に振り回す女性は、尽くされているようで実は尽くしています。

小悪魔といっても、ただの自分勝手では大物にはなれません（笑）。

全部わかった上で、サービスとして小悪魔をするくらいになると、男性はうっとりして、あなたから抜けられなくなるのです。

まとめ 達人は尽くされているようで尽くしている

55 なにがあっても「これも私の責任」

このタイトルを読んで「ひどいこといわないで!」と思うなら、あなたはきっと、人生のいろいろなことがつらい人なのだろうなあ、と思います。

「ひどいのはあの人!」「私は悪くない!」「彼のせいでこんなに傷ついた!」「友達だってみんな、私がかわいそうだっていってる!」「でも!」「だって!」

こういう考えかたをしていると、いつも周りにはいやな人や、いやなことがいっぱいで、ぜんぜん思いどおりにならない、かわいそうな人生をすごすことになります。

「彼が浮気ものだから!」「彼が冷たい人だから!」「彼がわかってくれないから!」「彼がはっきりしてくれないから!」「彼が感謝してくれないから!」。**だから、なんでしょう?**

彼がだめ、間違っている。たしかにそうかもしれない。だけど、だから?

それをふまえて彼をどうさせたいのか、あなたが対応を考えることが、彼を動かす、調教するということです。

考えたり動くのもいや、そんなにひどい彼もいやなら、別れればいいのです。別れずに、行動を変えず、考え方を変えずに、彼だけを責めて、いいことがおこるのでしょうか？きびしいようですが、少なくとも、一方的に彼が加害者であなたが被害者だと思っているかぎり、現状がよくなることはなく、しかもブスになってしまいますよ!?

彼は当然、彼自身のことしか考えていません。

私は私のことしか考えていないし、あなたもあなたのことしか考えていないはずです。だとしたら、彼がウソつきでも、いいかげんでも、**彼がどうあるかは、彼の問題です。あなたは「この状態の彼に対して、どうしようか」ということだけに、全責任をもってください。「あなたがどうあるか」を選ぶ自由は、すべてあなたにあるのです。**

ひどいことをする人を選んだのも、ひどいことをされるような関係にしたのもあなた。冷たくしてもいい、と彼に思わせたのもあなた。

別れないことを選んでいるのもあなたです。

そう思うことができてはじめて、完全に「あなたが手綱をもちつづける関係」の土台ができます。超然として、あなた自身を、そして彼をコントロールすることができるのです。

まとめ　責任をもてば、手綱がもてる

7th Stage

本命中の本命でありつづける

——「したいことだけやる」でも「彼に尽くされる」方法

56 心からしたいことだけする

多くの女性が、したくないことをして文句をいいます。文句をいいながらするのです。そして彼のいないところで愚痴をいうのです。あなたはそういうことはありませんか？

心からしたいことだけをしましょう。そしてそれをするなら、いろいろな事情の中、「しない」より「する」をあなたが選んだのだ、と納得してからにしましょう。

「彼が怒るから」と文句をいうなら、「ごめん、こういう理由でやりたくないの」と断る。

避妊してほしいなら「もう避妊なしのセックスはしない」と、するのをやめる。

そしてそのあとで二人で妥協点を見つけていったらいいのです。

断ることで彼が怒ったり不機嫌になるようなら、ますますやめたほうがいいという合図。

甘やかしとなれ合いの関係をいったんシャキッと立てなおしましょう。

ガマンして、したくないことをしてしまうから、あなたが本当にいやがっているということを彼はわからないままだし、事態は改善されることのないままつづいていきます。

いやなことはしない女性がかえって本命として愛されます。 関係を変えるのは勇気がいるものですが、今からいやなことをするのをやめてみませんか？

また、多くの女性が、「彼のために尽くす」といいながら、「彼が自分なしでいられない状態にさせたい」という狙いをもっています。そして、自分がもっと大事にされること、感謝をされること、必要とされること、などの見返りのために尽くしています。

だけど男性からすると、頼んでいないのに毎晩「おつかれさま」と電話をしてくる、ご飯をつくりにくる、それで「これだけ尽くしているんだから、大事にしてくれて当然」と愛や感謝を要求されても、「いつおれが頼んだ？　お前が勝手にしてるんだろ」と思うのです。

これは**彼のために「尽くす」のではなく「取引」**であって、まったくちがう行為です。「勝手にやっておいて恩着せがましく要求」、これは彼からするとうっとうしく、「してもらっている」「ありがたい」と感じられないようなのです。

「私がしたいから、彼の役にたてるとうれしいから勝手にする」と、**自分の意志でサラッと尽くす**ことができると、尽くしていても相手に依存していないため、ステータスが高く、大事にされます。極端にいえば、あなたがやったと彼にわからなくてもいいのです。

まとめ　尽くしても要求すれば帳消しに

57 彼のナイト精神をくすぐるコツ

男性は女性を喜ばせて、自分の能力を証明したいと思う生きものです。「おれは役に立っている」「こいつはおれのモノだ」と感じる女性を、彼は愛します。だからこそ頼めることは全部頼んで、「ありがとう！ すごいね！ 頼りになるね！ あなたがいなかったら、なんて考えたくない！」という図式がいいのです。

なぜって、いろいろなことをやってもらえる上に、彼はもっとあなたと一緒にいたいと自分から思ってくれるのですよ！

男性は相談されたり頼られると、なんとも思っていない女性でも、「こいつにはおれが必要なんだ」「おれがこいつを守らないと」と使命感に燃えることも多いもの。とくにタイプC・D（P62）にはこれはすごく効きます。

あなたの存在で、彼に「自己重要感」を感じさせてあげてください。

彼に教えてもらう、やってもらう、頼る、甘える、これを彼の反応を見ながら上手にするのです。

頼んでみて、彼の苦手なことだったりで気まずい思いをさせてしまったのなら、そのことはもう頼まないで、彼がうれしそうにどんどんやってくれることを頼んでいきましょう。

たとえば「どのパソコンを買ったらいい？」と聞いても、あまり乗ってきてくれないけれど、買い物や引っ越しのために車をいつでも喜んで出してくれるなら、パソコンについて頼ろうとしないで、車でいろいろ連れていってもらって、すごく感謝するのです。

頼む内容は、「こいつはおれがいないと、パソコンもセットアップできないし、重いモノももてないし」くらいのことがいいでしょう。彼を頼るといっても、「あなたがいないと生きていかれないの－！」と自殺でおどすのは、怖くて重くて、彼の心ははなれるばかりです。

やってもらう基準は、「あなたにとって必要なこと」よりも、「それをする彼が元気になるかどうか」の優先順位を高くしましょう。

そうやって、彼を「**頼りがいのある、男らしく、やさしい男**」にしてあげます。

そうすると、あなたは彼を誇らしい気持ちにしてくれる気持ちのよい存在になって、彼は手ばなしたくなくなるでしょう。

まとめ　基準は彼がそれをすると元気になるか

58 浮気されない女性でいるには

「彼女や奥さん＋浮気」というダブルシステムを、基本搭載している男性がいます。あなたにハマっていても、相手がいれば浮気します。そもそも「浮気」という意識さえありません。こういう人は、どこかで本当に痛い思いをしないと変わらないものです。

だけど**大半は、あなたが彼の本命なら、そうそうは浮気されません。**

実際によく聞くのが、「そりゃ、機会があれば浮気したい。だけど彼女を失うリスクのほうが大きい。そんなことで大事な彼女（奥さん）を失いたくはない」という声です。

それに現実は、浮気したくても、そう都合よく相手が現れるわけでもないのです。

たまに、いつも彼を疑って束縛ばかりしている女性がいますが、よほどあやしいと思われることがないかぎり、彼を完全に信用している態度が、もっとも浮気をさせにくくすると思います。そしてその態度は、あなたの余裕や自信を感じさせ、魅力にもなります。

嫉妬をしたり、ほかの女性のことをしつこく聞いたりしたときに、男性はすごく怒りませんか？　あなたからしたら、きちんと納得のいくように説明してわからせてくれて、不安な気持ちを理解して、消してくれればいいのですよね。

だけど男性にとって信じてもらえていないというのは、最悪な気分になることなのです。とても腹が立つのです。そして、あなたにがっかりします。

「おれを全然信じていないじゃないか、いったい今までの時間はなんだったんだ」と。

彼が女性と遊んでいるにしてもいないにしても、しつこく聞いたり、怒ったり泣いたりしてやめさせようとするのは、かえって浮気に走らせ、なに一つメリットがない行為です。

敏腕コンサルタントの男性が、「ただ『浮気しないで』といわれるのは、彼女のエゴに感じる。だけど『ほかの人と会う時間があるなら、そのぶん私とすごして！』といわれるのは、愛を感じてうれしい」といっていました。

たしかに浮気をただ禁止するのは、彼女の不安やエゴ、プライドで縛っているだけともいえますね。だけど「その時間を私とすごして！」というのは、彼ともっといっしょにいたい、という純粋な気持ちを感じてかわいいのですね。

こういわれた彼はきっと、ほかの女性と約束をする前に、あなたの顔が浮かぶでしょう。

まとめ　完全な信用は浮気をさせにくくする

59 怒っているときには怒らない

同じ怒りや嫉妬でも、「あいつ嫉妬しちゃって、かわいいんだよなあ」「怒った顔もいいよねえ」というときと、彼がドン引きして、二人の関係がめちゃくちゃになるとき、いったいなにがちがうと思いますか？

たとえばホステスは、べつに嫉妬してないのに、お客さまが喜ぶと思ってサービスで嫉妬したふりをするから、「こいつかわいいな」となるのです。怒るときも同じ。

本当に怒っている、嫉妬に狂っている女性は、はっきりいって般若です。阿修羅です。ほんっと、マジで怖いです。横で見ているだけでも、心臓がギューッとちぢむ思いです。

それを一対一でいつもぶつけられている彼は、どれほど怖いだろうなあと思います。

まあママなんかだと、怒っても感情を出さないぶん、逆にもっと怖いですけどね……。

あなたは、激情をそのまま彼にぶつけないで。いくら美人でもしょっちゅう激情をぶつけている人は、大事な人との関係がめちゃくちゃになって多くの男性に去られています。

男性がきらうのは怖い女性なのです。

彼の前でだれかを悪しざまにののしったり、すごく大きな声やさけび声、金切り声をあげたり、にらむ目つきをしたり、ヒステリックに笑ったりするのも気をつけましょう。

そのような女性の姿を見ると男性は「怖い……」と引いてしまい、守ったりセックスをする対象に見られなくなってしまいます。本当にあそこが縮みあがるのです（笑）。

怒ったり嫉妬すると、いつもわれを忘れて、「もういい！　別れる！」などとさけんでしまい、あとから「うわあ、やらかしたー」と反省するあなた。

これをくりかえしていると、彼から信用されなくなり、軽蔑されるようになります。

そんなことでは、「二人の関係の手綱をにぎりつづける」どころではありません。

怒りや嫉妬などの激情にかられたときは、すぐにそのままを彼に伝えるのではなく、グッとひと呼吸おくクセをつけてください。これは**あなたの恋愛生命を本当に救います。**

そして、怒りや嫉妬がおさまったときに、まだ伝えたかったら落ちついて伝えましょう。

おさまってからでさえ、話しながらもりあがってきてかなり感情的になるくらいですから、激しい感情が湧きあがっているときは、けっして、けっして、彼に接触しないように。

まとめ　般若にはくれぐれもならないで

60 いざというときに「男気」を出す

ギャップや意外性は、とても効果的に人の心をゆさぶり、とらえてしまいます。

いつも強気な彼のふとした涙を見たり、へらへらしてスケベなイメージの男性が、いざ仕事やスポーツがはじまって真剣になっている姿を見たりすると、彼の意外な面に思わず胸がキュンとしたり、奥深さを感じて見なおしたりしませんか？

お水時代からの友達が、気に入った男性を落とすパターンが、最初はおちゃらけていい加減なキャラに見せておいて、あとからマジメで純粋な本質を出すのだそうです。

そうすると彼はグッときて、「オレがこいつのことをだれより知っている」「オレしか知らないこいつがある」的な優越感を抱いてくれるのだそうです。

恋心をもたせるには、まったくさざ波も立たないシーンとした状態ではなくて、なにかしらの心理的なゆさぶりをつねにかける、ということなのですね。

だから男性は、小悪魔に振り回されながらも抜けられなくなりますし、「ん？ 好きなの『かな』？」とつねに心がゆれる状態にして、あなた中毒にしていく作戦が効くのです。

心の「振り幅」が大きいほど人は冷静さを失い、それを「恋」とか「運命」だと思いやすいのです（ただし、ヒステリーや暴れるなどの悪い振り幅はNGですよ）。

だから、いつもは彼に頼って甘えてにゃーにゃーいっているあなたが、たとえば自分の母親がたおれたり、彼がリストラにあったりなどのピンチには動じず、きりっと冷静に対処しているその姿に、彼は感動します。そして、この人と結婚したら家庭や子どもを安心してまかせられる、と思ったりしてしまいます。

いつもは「この子大丈夫かな？」という女性だからこそ、意外な「男気」があざやかに心に焼きつくのです。たくさんのかわいげと、要所要所での男気、この絶妙なブレンド具合が、あなたを彼の本命中の本命にします。

逆に普段からきりっとしっかりしているあなたなら、弱々しく不安げな姿を見せることで、「こいつにも弱いところがあるんだな」「一人にしておけない」などと強く思わせることができます。彼のナイト精神に火がついて、ますます本気になるのです。

あなたもギャップや意外性を効果的に演出して、どんどん彼の心をゆさぶってくださいね。

まとめ 絶妙なブレンドで本命中の本命になれる

61 「ほしいもの」がわかっている女性は尽くされる

女性はなぜか、「尽くしてもらうときは、いわずに察してもらわないと意味がない」「愛しているなら、自発的に私が喜ぶことをしてくれるはず」と思いがちです。

しかし、ほとんどの男性は、具体的にいわれないと、なにをしたらいいのかわかりません。いくらあなたを愛していてもそうなのです。野暮ですが、これはしかたがありません。

だから、あなたの「あれが好き」「これがイヤ」という具体的な情報はなるべく与えて、覚えてもらいましょう。「いつものプリン買っておいたよ」などと、彼がいえるようにです。

彼に「なに買ってくる？」「なに食べたい？」などと聞かれたときは、「なんでもいい」は美徳でもなんでもなく、彼の張りあいをなくします。なるべく具体的に「ティラミスのこの前食べたほうじゃなくて、小さいほう」とか、せめて「あなたが見つくろって♪」といわれると、好きなあなたのために、彼は何件か店をまわってでもさがしてくれたりします。

また、彼が一番困るのが、「理由はわからないんだけど、なんかモヤモヤする」とか、一緒にいるのに「さびしい」とか、過去をもち出して「あんなことされて、まだつらいよ」とか、彼が「今」「具体的に」どうしていいのかわからないことをいわれること。

そしてこういう場合の多くは、彼が考えてあれこれしてくれても、あなたは「そうじゃない」「意味がない」と否定するのです。これは彼との関係にとって「悪いわがまま」です。

彼はこのような、具体的にどうしてあげたらいいのかわからないことをいわれると、無力感を覚え、それが自分自身やあなたにたいする苛立ちに変わっていきます。

いくら大好きなあなたの力になりたくても、なにもできなくてつらいのです。

たとえば「なんかモヤモヤする気分だから、私の好きなオムレツつくって」とか、「ちょっとブルーなの。海までドライブ連れてってくれない？」と具体的にいわれると、「そんなことなら、お安いご用！」と、快くやってくれます。これは「いいわがまま」です。

彼は、あなたの悩みを察して、すべて解決してくれる魔法使いではありません。

あなたの彼にたいする要求を、「彼が具体的にできること」に落としこんであげてください。

そうすれば彼はあなたに喜んでもらいたくて、どんどん尽くしてくれるでしょう。彼を尽くしてくれる彼にするのも、尽くしてくれない彼にするのも、あなた次第なのです。

まとめ 「悪いわがまま」ではなく「いいわがまま」を

62 「本命の彼女」でいるための5つのポイント

彼の本命として長く真剣に愛されたいなら、最低でもこの5点はおさえておきましょう。

〔あいさつ〕 なにかしてもらったら、小さなことでも「ありがとう」、迷惑をかけたら、小さなことでも「ごめんなさい」、食べる前には「いただきます」、ごちそうしてもらったら「ごちそうさま」、人に会ったら「こんにちは」「こんばんは」「はじめまして」。

あいさつがしっかりとできる女性のことを、彼は友達や親に安心して紹介できるのです。

〔時間〕 時間は守りましょう。遅刻はクセになり、あなたの人生にあたえる損害は甚大です。もちろん他人に迷惑をかけますし、あなた自身にも慢性的な後ろめたさをつくります。

約束をするときは余裕をもって。12時は微妙だなと思ったら、13時にしましょう。

〔お金〕 健全な金銭感覚を身につけましょう。お金の問題は、信用も人間関係もこわします。

ガスや水道、携帯の料金なども滞納しないで、引き落としにするなどしてきちんと支払いましょう。そして、お金は借りない。借りた場合はなるべく早く、期限までに返しましょう。

もちろん返す約束はかならず守りましょう。

結婚とは、二人の経済が一つになること。あなたの金銭感覚を彼は見ています。

〔約束〕 調子よく口約束ばかりして実行しない人は、軽薄で信用できなくなります。相手は本当に信じていたりするので、心をふみにじっているかもしれません。

どうしても事情があって守れなくなったら、なるべく早く誠実に伝え、謝りましょう。

〔貸し借り〕 借りたものはきちんと返さないと「ドロボウ」になります。また、貸すと約束したなら、きちんと貸しましょう。貸さないなら、気軽に約束するのをやめましょう。

以上の常識が欠けている女性は、だらしない、信用できないイメージをあたえます。

美人だし色気もかわいげもあって、つきあうだけなら最高の女性だとしても、いざ結婚しようというときに親に紹介できなかったり、ちょっとためらってしまうのです。

彼の前だけうまくやろうとしても、ボロが出ます。だれにたいしても心がけましょう。

ほかが多少いいかげんでもいいので、まずはこの5点だけ守ってみてください。

少しわがままでミステリアス、だけど常識があって、人間として信用できるという女性が、男性の一番好きな「まじめな小悪魔」なのです。

まとめ　男性が一番好きなのは「まじめな小悪魔」

63 こんな女性が彼の「ヨメ」になれる

イイオトコほど、自分よりも、家族やまわりの人間を大事にされるほうがうれしいもの。やり手の社長さんから聞いた、銀座スゴ腕ホステスのテクニックをご紹介しましょう。

常連のお客さまの誕生日。たくさんのホステスが、ブランドのネクタイやシャツなどをプレゼントします。本人はもちろんうれしいですが、予想どおりの毎年恒例の行事です。

でもスゴ腕ホステスは、「お母さま、神経痛で足がお悪いんでしょ？」と高品質の毛布をプレゼントしたり、「お子さん、もう小学一年生でしょ、なにか買ってあげて」とおもちゃ券をプレゼントしたり、**本人ではなく、彼の家族にプレゼントをするのだそうです。**

お客さまは、「本当に心の美しい女性だ」と感動し、美人でもなくまったく気にとめていなかった彼女を、そういった積みかさねを通じて、特別にひいきにしていくのだとか。

お客さま本人にプレゼントをあげるのは、彼にアピールして気に入られようとしている「欲」を感じますが、「家族に」というところが、まるで「無私の思い」のように思えるからでしょう。ちなみにカリスマ保険外交員も、同じテクニックを使っているそうです。

あなたも、彼の大事にしている人を、あなたの大事な人としてあつかいましょう。

たとえば彼のおじさんが入院したら、「私との約束はいいから、早くいってきて。予定は私がキャンセルの連絡をしておくね」とすかさずいえる。

彼が目をかけている後輩が、彼女にふられて落ちこんで彼に電話をしてきたら、「じゃあ○○くんもうちに呼んで、みんなでごはん食べようか」とサラッと提案できる。

彼に会ったときに「はい、これキティ大好きな妹さんに。昨日、お誕生日だったよね？」と、気持ちだけ伝えるさりげないプレゼントをわたす。

遊んでいて彼の友達の電車がなくなったら、「近いし、送るよ」とサッと車を出す。

このように、彼の大事な人をあなたも大事にするという感覚は、もうほとんど「ヨメ」なのです。そして彼も自然と、あなたを「ヨメ」的な存在として見るようになります。

そのまったく逆が、彼がまわりの人間を大事にすると、「またお母さんのところ？」「私よりも友達のほうが大事なんでしょ」などといやがること。その態度は「子どもじみてる」「わがまま」と思われ、あなたとの安定した長いつきあいを、考えにくくさせてしまいます。

まとめ 彼の大事な人を大事にする

64「男のロマン」を理解してあげよう

男性には、いつまでも「男の子」のような部分があります。小学校のときに友達と「秘密基地」でスパイごっこをしたような部分は、大人になっても変わらないのです。

ロマンというのは、「ただ生きるだけなら必要のない夢」だと定義できます。だからロマンチストほど、現実ばなれした夢をもっているのです。

頭がよくてしっかりしていて仕事もできる彼なのに、なぜか夢のようなことを本気でいっていたりしませんか？　どうやら**男性は「今生きているこの現実しかない」と思いたくない**ようなのですね。この「現実だけだ」と思うのは、彼にとってすごくさびしいことなのです。

男性が「いつか脱サラして社長になる」「将来は海外に移住する」「このどうしようもない世の中をよくする」「かならずビッグになる」などというのを聞いたことはありませんか？

不可能に聞こえるような、恥ずかしくなるほど大きなことをいう男性は多いです。

もちろん実現する人もたくさんいますが、残念ながら9割は現実逃避に終わるようです。

また、大好きな、自分だけの世界をもとうとする男性も多いです。

たとえばガンダムやエヴァンゲリオンなどアニメの世界にひたる、モデルガンと迷彩服でサバイバルゲームをする、オーディオ機器や車、パソコンにこだわり、どこまでも性能アップを追求するなど。そしてそういうロマンに何百万円もの大金をかけたりします。

あなたには意味がわからなくても、合理的・実用的ではないからといって、バカにしないようにしましょう。否定されると彼は、「どうせおれの世界はわかってもらえないんだ」とあなたにたいして心を閉ざします。また、邪魔をされるのも、うっとうしいものなのです。

結婚しているわけではありませんし、彼のお金であり彼の時間なのだから、自由にさせてあげましょう。笑って話を聞いてあげるくらいの理解があると、彼は居心地がいいのです。

また、記念日などのドラマティックな演出。夜景や花束が、あなたにとって無駄だとかいらないと思っても、「もったいない！　私たち、これからお金がたくさん必要なのに！」「こんなところにお金を使わないで、貯金しなさいよ！」などといわないようにしましょう。

彼はあなたの喜ぶ顔だけをイメージしてウキウキと準備したというのに、「もうこいつには、ぜったいなにもしてやらない！」とへそを曲げてしまう危険も大ですよ。

まとめ　わからなくても彼のロマンをバカにしない

65「あげまん」は永遠に愛されつづける

「あげまん」というのは、つきあった男性の運を上げる女性のことをいいます。

いわれてみれば当然のことですが、男性は自分を勇気づけ、元気にしてくれて、安らぎをあたえてくれる女性、つまり**一緒にいることで自分の仕事、精神状態、経済状態など人生全般がよくなっていくような女性を手ばなしたくなくなります。**

逆に、一緒にいると睡眠時間はけずられ、仕事に集中できなくなる、要求ばかりしてくる精神的にうっとうしい女性は、いくら外見が好みだったり思い入れがあったとしても、だんだん一緒にいることが無理になってきたり、一生の伴侶としては考えにくくなります。

あなたも今日から、「自分の存在が、彼の人生をよい方向にすすめる手助けをできているか」という視点で見てみてください。これができていると、ほぼふられなくなるはずです。

逆にあなたが男性を選ぶときも、同様の基準で選んでみると幸せになりやすいです。

私の持論は「恋人・夫は、私が私らしく生きるためのよい『環境』であるべきだ」というものです。よい環境であるということは、自分が成長、発展していかれるということ。

よい環境である彼がくれるものは、快楽物質を出してくれる「麻薬」ではなく、あなたがあなたらしく、豊かな人生を送るための「ビタミン剤」です。

ビタミン剤は、飲んだ瞬間に気持ちよくなるものではありません。だけど、長い目で見てあなたを元気に生かしてくれるものです。

恋という麻薬が出す快楽物質によって、「一目惚れした」「こんなにはげしく愛したのははじめて」などとパートナーを決めると、芸能人カップルのようにすぐ別れることに。

なぜなら快楽物質は、ずっといっしょにいる、安定した関係では出ないものだからです。

ただ情熱的に「好きだから」ではなく、自分の本当に納得のいく人生を思い浮かべ、その上で、その人生を歩むために一番ふさわしい相手が、本当にあなたの心が生きられるパートナーです。そしてあなたも彼にとってそうであれば、彼に必要とされつづけます。

セフレやキープの女性が妻になったパターンというのは、「麻薬」ばかりを追い求めていた彼が、彼女こそが彼にとっての「ビタミン剤」であると気づいたときに、「恋」ではなく「愛」している、だれよりも大切な本命になったという場合がほとんどなのです。

まとめ 彼の「ビタミン剤」になろう

[特別レッスン2] 愛されつづける原理

《基本原理》

いったん好きになった女性を男性がいやになり、別れたくなる理由は限られています。ということは、その限られたNGポイントさえ避けていれば、彼からあなたをいやになる、去っていく可能性はきわめて低くなるということです。

あなたは「広い平原のなかの数か所の地雷さえ避ければいい」というイメージです。得点をかせぐよりも、まず減点を限りなくゼロに近づけることを考えましょう。

すでに彼はあなたを好きなのですから、好かれようとがんばるよりも、いやになることをしないほうが関係はつづくのです。

あなたがその行動をとると二人の関係がどうなるのかを、前もってきちんと知っている必要があります。それさえ納得できた上ならば、好きにしてもかまわないのです。

行動する前に、一歩先を考えるくせをつけましょう。

地雷ランク★（低い）～★★★★★（高い）

★★★★★浮気……言語道断。女性の浮気は、男性の浮気よりも重罪ととらえられています。怒り、嫉妬、けがらわしさ、悲しみ、くやしさ、女性不信など、彼のありとあらゆるネガティブな感覚や感情を刺激し、爆発させます。

★★★★★自殺未遂……引きます。彼に関係ない理由なら、同情したり心配になったりという気持ちも出てきますが、彼を引きとめるためのヒステリー性のものなら、重すぎてなおさら引きます。

★★★★　どなる、さけぶ、泣きわめく、自傷……純粋に怖い、かかわりたくありません。人の目も気になります。安らぐどころではなく、いつもおびえていなければなりませんし、彼女が軽蔑の対象になります。

★★★　嫉妬しすぎる、束縛しすぎる、要求する、責める、批判する……うっとうしいです。うるさいし、うんざりします。彼は自由にしたいのです。あなたを好きなのかどうかがわからなくなり、あなたのことが仕事や義務のようになります。

★★★　セックスがキライ・つまらなそう……「もう変わらない」とわかったとき、浮気か別れを考えはじめます。「彼女はおれとのセックスが好き」と感じられれば、多少ほかに難があっても手ばなしたくなくなります。

★★　**つまらない**……「彼以外に友達や趣味がない」「いつも同じ話題しかない」「自分の話しかしない」「愚痴、悪口、自慢ばかり」これでは、あなたとの時間を楽しいと思えません。

★★　**依存しすぎる**……たまにはかわいいですが、いつもだと「面倒」で「気が重くなる」「楽しくない女性」だと、あなたのことをお荷物のように感じるようになります。

★★　**別れ話や結婚など、大事な話がコロコロ変わる**……振り回される自分がだんだんバカみたいだと思うようになり、あなたの話を聞き流すようになります。あなたを信用できなくなり、軽蔑するようになります。

★★　**常識がない**……恥ずかしくて、人に紹介できません。あまりにも部屋がきたなかったり、時間やお金にルーズだと、心のどこかで一線引いてつきあうようになります。

★　**口うるさい、しつこい**……面倒でうんざりします。会話をしたいと思わなくなります。

★　**尽くしすぎる**……あなたを軽くてどうでもいい存在だと感じやすく、ありがたみを忘れがちになります。

エピローグ
本当の幸せをつかむために

――「あなたが好き」でも「自分も好き」でずっと大切にされる

1　だれでも「モテオーラ」を放射できる

何年か前にたまたまテレビをつけたら、売れないホストが「ナンバーワンになる!」といって目を二重に整形する、というのをやっていました。

そのホストに接客してもらったこともありますが、断言できます。

……二重にしても、彼は間違いなくナンバーワンにはなれない!

もちろん顔がかっこいいほうがナンバーワンになるには有利です。

だけど二重の手術より、10倍以上、いや100倍以上大事なものがあります。

それは、「モテオーラ」つまり「余裕」です。根拠なき自信のようなものです。

それが彼には欠けていました。いい人でしたがナンバーワンとは次元がちがうのです。

ナンバーワンには自信と余裕があります、つまり「ステータスが高い」のです。「執着がない」「自分が選ぶ立場」という余裕が伝わってくるのです。

だけど人間は、心のコアの部分の鍵穴にぴったりの鍵がさしこまれ、宝庫が開いたとき、一瞬で次元が変わり「モテオーラ」が出ることがあります。そうすると現実も変わります。

あなたと彼との関係だって一瞬で変わってしまうのです。

このまま読みすすんでいただければ、あなたも今すぐその感覚を味わうことができます。

はじめに、あなたの大好きな男性の有名人を思い浮かべてみてください。

できるだけ、あなたにとって現実感がない、手が届かない憧れの人がいいです。

KinkiKidsの堂本光一さん？　それともサッカーの中田英寿さん？　またはブラピ？

で、その憧れの有名人と偶然どこかで会ってしまったとします。

するとなんと、彼があなたに一目惚れして、「こんな風に惹かれたのははじめてです。あなたにまた会いたい。連絡先を教えてもらえますか？」といってきたとします！

「えー、ありえない」なんていわないで、ちゃんと想像してみてください。

あなたはどんな気分でしょう？　夢のようにフワフワですよね？

そして、さっそく電話で「日曜日に食事しませんか？」と誘われて、約束しました！

ウキウキして足も宙に浮いたようで、気がつくと顔が笑ってしまったりしますよね♪

もう、ちがう世界に来たみたいに、ルンルンです。

……次の日。学校とか会社にいって、大好きな、あなたに「気のない彼」を見たとき……。

あなたはどう感じるでしょうか？　今までと同じですか？

いつもみたいにドキッ！　として不自然になってしまいますか？

……そうではなくて、好きな彼が「ただの人」に見えませんか？

いつも自意識過剰になってしまうあなたが、「おはよーっ！」と彼の背中をたたいたりしながら、笑顔であいさつできてしまうかもしれないですよね。

この状態のあなたなら、彼とふつうに仲よくなれてしまうという感覚、わかりますか？


それでは、なぜそのような心境になるのでしょう？

じつはこのとき、あなたのステータスが彼と対等、またはそれ以上になっていて、余裕という「モテオーラ」をかもしだしているからです。

完全にのびのびとした**素のあなた**になっているのです。

彼にたいする執着がなくなったことで、ありのままの彼、ありのままの状況が見えるようになっています。そしてそのリラックスしたあなたに、彼も安心するのです。

いつものように結果を気にして、「きらわれたらどうしよう」「断られたら立ちなおれない」と思って強く執着していると、彼の顔色をうかがって、自分が傷つかないようにしようとしよう、と逃げ腰になってしまいます。

そうすると彼から見てあなたは、距離を感じる、全然魅力がない人になって、彼も緊張してしまいます。あなたが彼に距離をつくってしまっているのです。

このように「アプローチしているのに逃げ腰」は、すごくよくあるパターンです。

ところが大好きなスターから誘われることにより、好きだった彼がちっぽけに思え、執着がなくなり、完全にリラックスでき、一瞬で彼との関係が変わったのです。

あなたはメイクを変えたわけでも、ダイエットしたわけでも、恋愛の本を１００冊読んだわけでも、イメージトレーニングしたわけでもありません。

同じあなたのまま、一瞬で変わったのです。

実際スターに誘われることはあまりないですが、似たようなことはたくさんありますね。

たとえばほかの男性とつきあって夢中になっているので、今まで好きだった「気のない彼」がどうでもよくなり、「ただの憧れだったのね」と過去のことになるなど。

皮肉なことにこういうとき、あなたは好きだった彼を一番落としやすくなっています。

あなたが一瞬で変わったので、現実も一瞬で変わるのです。

だけどここで私が伝えたいのは、「スターから誘われたイメージをもちつづけましょう」ということではありません。

なぜなら、ウソだとか不可能だとわかっていることを信じこむのは、ほとんどの人にとってつらくて不可能だからです。

ただここでは、**「一瞬でモテオーラが出ることがある」**と実感していただきたかったのです。

「素材オーラ」は最強の「モテオーラ」です！

顔もスタイルもメイクもファッションも男性にたいする知識も同じ「今のあなた」のまま、彼と対等なあなたに一瞬でジャンプした感覚、なんとなく感じていただけましたか？

本章では、あなたの恋愛体質を改善し、あなたの内側からあなたそのものの「素材オーラ」をこんこんと湧き出させ、さらに恋愛成就率をアップさせる方法を明かしていきます。

2　一瞬で現実が変わった人たち

努力なしで瞬時に現実が変わってしまった人たちを、実際に私は何人も見てきました。
その例をここでは二つ、ご紹介します。

1.いつもの恋愛パターンから解放されたとたん、彼とラブラブに!

一人目は、一年くらいつきあっている彼氏との関係がうまくいっていない、と相談してくれた20代の女性です。去年私は信州内観研修所というところで「内観」というものを一週間やってみたのですが、彼女とは後日、「一日内観」の会場で出会いました。

彼女の不満は、彼が連絡をくれない、ドタキャンされる、不満をいっても「おれは全然悪くない」ばかり、いつもケンカしていて疲れた、別れも考えている、ということでした。

私はそれを聞いてまずは、この本で書いたセオリーどおりのお答えをしました。

しかし彼女はそれを聞いても「だったら別れようかな」とあいかわらず不満そう……。

しばらく話をしていて、私はふと「彼女と彼の本当の原因は、彼女とお母さんとの関係にある」と感じ、くわしく聞いてみると、どうやら彼女と彼の関係は、彼女のお父さんとお母さんの関係と、そっくりそのままだということが明らかになったのです。

それをふまえ彼女は先生の指導のもと、お父さんについて内観で掘り下げました。

そして内観後、「父が壁をつくっているから父が悪いと思っていたけれど、わたしと母はいっしょになって父を悪者にしていた。父はずっと一人でかわいそうだった」と泣きながら語ってくれたのです。

それを境に、彼女と彼氏の関係は変わりました。四か月後にいただいたメールです。

「あれから余計な確執もなくお互いが本当にありのままで、気づかいあって過ごせております。私の中にあった恋愛に対する確執が解けたこともあって、本当にはじめてこんなに穏やかな恋愛をしていて、皆さんに感謝しています」。それからずっと順調なようです。

彼女は「彼に軽んじられるような行動をみずからとり、彼が彼女を粗末にし、彼女が怒る」という、彼女のご両親と同じパターンから解放されたことで、男性とつきあうたびに関係を邪魔していた原因が消え、その結果、彼との関係が瞬時に変わったのです。

このように、心の奥底が本当に動き、コアのレベルで腑に落ちれば、人生は一瞬で変わるのです！

2. 一年の歳月で余裕をかました別人に！

もう一人の変身例は、ホステス時代のY社長というお客さまです。

このかたは、はじめてお友達とお店にいらっしゃった日に、私のことをすごく気に入ってくださり、それから一人で通われるようになりました。

彼はいつも緊張して、ほとんど私と話せません。なのに何時間もいらっしゃるのです。

そのうちに私はお店をやめ、一年後、同じお店に復帰しました。

その初日についた席で、見覚えのあるお顔が……。「Yさん？」と聞くと、「なんだよ、オメエ、戻ってきたのかよ！　急にいなくなるんだもんなあ！」とおっしゃるのです。

オメエ……？　私の目も見られなくて、ボソボソと話をしていたのと同じかた？　ときつねにつままれたようです。

堂々として、あまりに印象の変わった彼に、わが目と耳をうたがいました。

そこに、彼の新しいオキニ（お気に入り）の子がやってきましたが、今や彼は、堂々としたままでした。

これはすごく印象に残ったできごとです。同じ人が同じ私に、ここまで変われるなんて。

推測するに、彼はもともと人見知りで、しかもはじめての場所。そのうえ私を気に入っていたので、不器用な態度しかとれなかった。ところが、一年で完全にお店の常連になり、ママともお店の女の子たちとも仲よくなり、その店は彼の「庭」のようになった。

しかも今はほかの子に夢中で、私にたいする執着がなくなった。つまり緊張もなければきらわれる恐怖もない。その自信と余裕によって彼は素が出せるようになり、私にたいする態度が激変したのでしょう。

一年前は、会話もなりたたないし、かりに誘われてもお茶すらぜったいナシでした。でも一年後の彼なら可能性が激増しているわけです。彼に余裕があって私と対等で、私からしたら気が楽なので、お茶くらいならいってもいい存在になったのです。

お茶にいかれれば、彼にとってほぼゼロだった可能性が何十倍にもなりますよね？

このように人は、なにかが変わることで、一瞬にして現実が変わることがあります。

ポイントは、彼らが好きな（だった）相手に好かれようと、（おそらく）コツコツ努力をしたわけではないという点です。

にもかかわらず、ポン！　と別の次元に瞬間移動してしまったのです。

美肌になりたい人が、顔も洗わず、ジャンクフードとお酒とタバコしか摂取せず、便秘がちで毎日ゴロゴロしていたら、超高級化粧水やクリームを使っても、効果が期待できないですよね？

その前に、顔をきれいに洗って、お酒やたばこをやめて、ジャンクフードのかわりに新鮮な野菜やお水をとって、便秘をなおして、適度な運動をするのが先だと思いませんか？

その上で超高級化粧水とクリームをつかえば無敵ですよね。

心理テクニックや駆け引きやモテメイクなどは化粧水のようなもので、あなたのコアをスッキリさせることが、食生活や運動のように根本的な体質改善だということです。

モテようと上からあれこれ塗りたくるのではなくて、内側からピュアな「素材オーラ」があふれ出るようになれば、好きな彼の気持ちや、まわりの人たちの対応はガラリと変わります！

3 「私、どうせダメだから……」。それってほんと？

だいぶむかしのことですが、アジア某国ではじめてのロックコンサートを開催したかたとお食事をしたあとで、車の窓に流れていくビルを見ながら、彼にこう聞かれました。

「あのビルに指で穴をあけられる？」

私は当然「は？　無理に決まってるじゃないですか」とすかさず答えました。すると彼は、「どうして？　あのビルは紙かもしれないよ。つついてみないとわからないじゃないか」というので、「ビルはコンクリートなんだから、つつかなくても無理だってわかるじゃないですか」と答えると、彼はいいました。

「そういって、だれもその国で、ロックコンサートをやろうとしたことすらなかったんだよね。みんなコンクリートだと思ってつつきもしなかった。だけどぼくがつついてみたら紙だったんだよ。簡単に破れたんだよ。やってみたら簡単にできちゃったんだ」と。

以前、私はモテモテで素敵な、タイプAのある男性をイイナーと思っていました。でも「彼のようなタイプは私を好きにならない」と経験上知っていたので、あきらめていました。

ある日酔ったいきおいで彼に、「あなたは私なんか好みじゃないんでしょー」といってしまったら、彼はこらえきれないという感じで、ものすごくおかしそうに笑いだしたのです。

「きみにはじめて会ったとき『なんておれ好みなんだ！』と心を奪われた。でも無理だと思って自分をおさえていた。そんなことをいわれたら本気できみにハマりますが、いいですか？」と。そしてその日から彼は、思わず引くくらい、私にのめりこんでくれたのです。

聞かなければ、本当のことを知らないままでした。彼はつついてみたら紙だったのです。

「経験上知っていた」ってなに？　思いこんでいただけで私はなにも知らなかったのです。

思いこみで人は決めつけて、やらずに終わります。

たしかに実際やってみても、８割はその思いこみが正しいかもしれません。

だけどやらなければ確率はゼロ。やれば、もしかしたらうまくいくかもしれないのです。

「どうなるかなあ」「私のことどう思ってるのかなあ」と悩んでいるひまがあったら、指でついてみんしゃい！　どうせだめだ、と思っていてもいいから、**やってみんしゃい！**

思いこみと現実はかならずしも同じではないということがわかるから。

4　背伸びは「モテオーラ」の敵

ご夫婦で、成功と恋愛のセミナーを主宰されている、ひろ健作さんという友人がいます。

昔の彼は口下手で、きれいな女性の前に出ると緊張して話せなかったのだそうです。

そこでモテるために本を読み、「ぼくは素晴らしい」「自信にあふれている」とプラスのイメージトレーニングをして堂々とした感じで誘ってみた。だけどいつも断られてしまう。

ところがあるときから、緊張を隠さないで、そのままいうようにしたのだそうです。

「あなたみたいに、きれいな人に話しかけるのは緊張します。すてきな人ですね。いっしょにお茶でもしてくれませんか？」と、自分をつくるのをやめて感じたままを伝えると、なんと美女たちがみんな笑って「いいですよ」とあっさりお茶してくれたのだそうです。

いったい今までの努力はなんだったんだ！　マイナス思考でも、どんどん結果が出るじゃないか！　むしろ、こちらのほうがうまくいくじゃないか！　ということに気づいた彼は、現在、私たちの素のパワーを引き出し、人生を変えることをライフワークにされています。

ひろさんの例、私たち女性の立場からすれば、すごくよくわかりますよね？

ステータスが高いふりをしようとして、緊張しているのを必死で隠してかっこつけている人って、かっこ悪く小さく見えて、むしろすごくステータスが低いですよね。

それよりは、**緊張しているのを素朴にそのまま伝えてくれるほうが、悪い気はしません。よっぽど自然体で魅力的で、むしろステータスが高い**のです。

だけど私たちは、彼と同じことをしてしまいがちですよね。だって、好きな気持ちがばれたら怖いから。緊張しているのがばれたら恥ずかしいですものね。

しかしそうやって、緊張しているのに緊張していないように見せようとするから、余裕がなくなります。なぜなら、緊張したそのままの自分を隠すということ自体、自信のなさの証明だから。そしてそんなこと、理屈じゃない次元でバレて、まったく好かれません。

「そうだ。緊張しているんだ、これが自分なんだ」というほうが、よっぽどホンモノの自信なのです。自分をつくっていないほうが、よっぽどステータスが高いのです。

そして、ウソをつかなくていいから、本人も落ち着くのですね。本当の感覚や気持ちを伝えればいいだけなのですから、リラックスでき、モテオーラが出るのです。

がんばって自分をつくっても、やはりホンモノの魅力にはかないません。

5　この心得がホンモノの「愛され体質」をつくる

前述の「内観」は、一週間で人生をスッキリ整理&心のデトックスができます。

不満や不安からの行動がへり、その後の人生が楽で順調になるのでオススメです。

ちなみに私は内観をして「家に帰ったらブログで恋愛について公開しよう」と思い、その五日後に公開をはじめ、それがこうして本になっているので、おもしろいものですよね。

その内観中、樋口可南子さん似の先生独自のワークで、私はとても大きなことを学びました。まず、私が犯罪者になっても植物人間になっても、私のもとからぜったい去らないであろう人をあげさせられました。先生はその名前を紙に書き、ペンで指しながらこういいました。

「あなたがまず大事にしないといけないのは、この人たちよね？　なのに、どうしてこの人たちよりも、ほかの人を一生懸命大事にしているのよ？」と。

自分を一番大事にするというのは心がけていましたが、これは衝撃でした。

「そうか……**私を大事にしてくれている人から大事にするということが、つまり私を大事にするということ**なんだ……!!」と、新しい視点からの基準をもらえたのです。

そのあと、好きな彼のセフレになっているという女性から相談されたときに、聞いたばかりなのにさも当然のように「自分を大事にしてくれる人から大事にしようよ」といったら、「そんなこと考えたこともありませんでした！」と、彼女も衝撃を受けていました。

それから彼女は、自然とセフレの彼と疎遠になり、なんとたった一か月後に、彼女を大事にしてくれる男性と出会ってつきあいはじめたのです。

これも、心のコアが変わったために、人生が瞬間的に変わった一例です。

自分を大事にしてくれる人を大事にすると、大事にしてくれる人が寄ってくるのです。

わたしたちの多くは、本当に自分を大事に思ってくれている人のことは、あたりまえだと思って忘れがちです。なぜなら彼らは、いつでもそっと、いてくれるから。

そしてわたしたちは、手に入らない、思いどおりにならない、自分を粗末に扱う人を価値があると思って、そんな人にエネルギーをさいてしまうバカな生きものなのです。

「あの人をうしなって、だれが一番愛してくれていたのか、だれが一番大事なのかわかった！」と後悔することだけはないようにしましょう。

メールも返さない、女性の影ありまくりの、気まぐれな彼のほうにエネルギーや時間をさいてしまっているあなたが、すぐに返信をくれる、あなたを大事にしてくれる人から順に大事にする体質になると、あたりまえのように幸せになれるのです。

6　心のデトックス「モーニングページ」でさらに幸せに

恋愛はもちろんのこと、人間関係、夢、能力開発、人生のすべてに効く、かつお金もかからず単純でだれでもできる、私の知るかぎり最高の方法があります。

それは「**モーニングページ**」。**毎朝小さなノートに3ページ程度（ふつうのノートなら1ページ程度）、時間にして20〜30分くらい、なんでも自由に書くこと**です。

日記とちがい、書く内容はページさえうまればなんでもOK。「書くことないー」「会いたいーつらいよー」「歯医者いかないと」でも、極端な話「ああああ」でもいいです。

ポイントは、**手で書くことです！**　ノートやメモにペンで書くことで、パソコンで入力するときには出てこない、生のあなたが吐きだされ、効果的にデトックスができます。

私は、とじるところが輪っかになっている「バインダータイプ」のノートやメモを選んでいます。バインダータイプだと、くるっとページを裏返せるので、どのページも平らにきれいに書けるからです。また、もし「無地」のタイプが選べるなら、そちらをオススメします。文字の大きさを変えたり、絵や図も書け、自由にページがつかえるからです。

もう一つのポイントは**人に見せないこと！**　人の目を気にすると、うまく書こうとしてなにも書けなくなります。あなただけの場所に、自由に安全に「たれ流す」のが秘訣です。

私は『ずっとやりたかったことを、やりなさい。』(サンマーク出版)という本を読んで2005年末にはじめましたが、これは毎日、心の表面のにごりを排水する効果があります。

ふりかえってみるとよくわかりますが、はじめてからというもの直感がさえて、好きな人や願ったことを引きよせ、人生が気持ちのいい人やことだらけになってきました!

悩みがへり、悩んでも解決が早くなり、意外な効果だったのですが、腰が重かった私が思いついたらすぐ行動するようになりました。望んだことがスムーズにかなうようになり、人生のスピードが早くなって、したいことがどんどんすすむようになりました。

具体的にいうと、『恋愛研究者』というブログをはじめ、銀座の高級クラブで働き、「恋愛研究の集大成」を書き、「内観」にいき、集大成をブログで公開しはじめ、インドに単身で二か月いき、この本を書き、つぎは「モーニングページ」のセミナーをはじめます。

毎日書いていると心のモヤモヤがスッキリしてきて、コアから目ざめることで素材オーラが放射され、愛されかたも劇的に変わります。ぜひぜひお気軽に、おためしあれ!

7　ゴチャゴチャが2時間で解消する「年表」マジック

モーニングページは、確実にあなたとあなたの恋、そして人生までも強力に変えてくれますが、今の彼との恋というピンポイントで、今すぐガツン！　と効く安全な方法があります。それは、**彼の履歴書、スケジュール表、二人の年表をつくること**です！

彼とのつきあいの長さや深さにもよりますが、作業にかかる時間は2時間ほどでしょう。もちろんもっと時間をかけて、細部までこだわってもかまいません。たった2時間で、あなたの心と頭が霧が晴れたようにサッパリ、スッキリし、友達やカウンセラーに恋愛相談する必要の8割をはぶいてくれます。

私たちが恋愛で心や頭がごちゃごちゃになっているときというのは、ただ感覚的、感情的に、「きらわれちゃう！」「これからどうなるの!?」とパニックになっているときです。

こんなとき、履歴書、スケジュール、年表をつくるのは、思いこみやイメージではなく「事実」を把握することで、あなたの心と頭を落ちつかせてしまう方法なのです。

彼を好きになったばかりでも、もちろんやったほうがいいですが、書くことがなくて30分くらいで終わるかもしれません。この方法は、心と頭がこんがらがっているときほど絶大な効果を発揮します。

「たかがそんなことで」とか「書かなくてもわかってるし」とあなたは思うかもしれません。

そして9割の人は、たったこれだけのことをしないまま、永遠に混乱しつづけます。

まず、だまされたと思って、その「たかがそんなこと」をやってみてください。

やってみた人だけが、この威力を知ることができるのですから。

《履歴書》 わかるところだけ記入。職歴とかわからなくても彼に聞かなくていいです（笑）。

以下、実際の履歴書をまる写しです。ノートを出してさっそく記入してみて！

名前、ふりがな、生年月日、住所、電話番号、FAX番号、携帯電話番号、メールアドレス、携帯メールアドレス、学歴、職歴、免許・資格、特技・趣味・得意科目等、最寄駅、通勤（あなたの家からの）時間、志望の動機（彼が学校や仕事を選んだ理由がわかれば）。

その他、彼の恋愛履歴、現在している仕事の内容、ハマっている（&いた）もの、好きな映画・本、好きな食べもの・きらいな食べもの、得意なこと苦手なことなど、知っている、または彼から聞いた「事実」をできるかぎりたくさん、箇条書きで書いていきます。

彼が本当のことをいっているとは限らないので、「本人談」など情報源を書いておきましょう。本人談だけを見ると、彼があなたに見せたい「彼像」が見えてきたりします。

そして、彼がタイプA～Dのどのタイプか、彼は女性からどのくらいモテて、どこが魅力なのかを、あなたなりに分析してみましょう。

《スケジュール表》月曜日から日曜日までの曜日と時間を表にして、彼がなにをしているのか、わかるところだけうめていきます。これは時間はかかりませんね。

たとえば月～金は7時起床、9時から18時は会社、20時に帰宅、土曜日の9時から12時まではフットサル、備考として、月1回くらい土日は神奈川の実家に帰る、など、知っている範囲で彼の生活を書いていき、新情報をゲットしたら修正します。

《二人の年表》二人の恋を把握するために一番重要で効果があるのがこの年表づくりです。

二人の出会いから現在までのいきさつを、順を追って書いていきましょう。

「平成20年5月、合コンで出会う。彼にメアドと電話番号を聞き、交換する。翌日、『楽しかった、今度遊んでね』とメールをし、『もちろん』と返信」「7月の終わり、こちらから誘い飲みに行った帰りに、告白される」「10月、彼の家で誕生日プレゼントのネックレス（約2万円）をもらう」のように、他人が見てもわかるような書きかたで、あなたと彼のセリフや行動という事実を年表にしていきます。

ポイントは、歴史の年表と同じで、「楽しかった」「かなしかった」などという個人的な感想や感情を交えず、「ファミレスで8時間話した」『きみといると楽しい』といわれた」などの、「事実のみ」を書いていくことです。

また、「もりあがった」などという主観的な表現ではなく、「1時間で約20通メールを往復した」など、「もりあがった」と判断するもとになった事実を書くようにしましょう。

「事実」は偉大です。

彼の履歴書、彼のスケジュール表、二人の年表という、彼に関する事実を集め、それをながめることで、あなたの頭でつくっているモワ〜ンとしたイメージではなく、彼そのもの、そして二人の関係の推移と正確な現在地が把握できるのです。

履歴書を見て、彼がなにに興味をもって生きてきた人なのか、軸が見えてくるかもしれません。すると、わからなかった行動の意味や、効果的な褒めかたがわかったりします。

また、彼のスケジュールを書きながら、「ああ、だから日曜日は返事がおそいんだ」「いつもこんなに疲れているときに電話してくれてたんだ」など、彼の背景が立体的に見えてくるようになり、彼にとって気持ちがいい会話や行動が的確にできるようにます。

さらに、この年表があると、あなたの恋愛を他人の恋愛のようにながめることができます。すると、いつまでもりあがっていたのか、いつから彼が冷めていったのか、そしてその理由、また、彼にとってあなたはどのくらいの位置づけなのかも推測できてきます。

こうして事実を書き出してみると、さまざまなことがクリアーになり、腑に落ちます。

そして最後にかならず書かないといけないのが、**「彼は現在あなたをどう思っているのか」「あなたと彼の関係はどうなのか」**、そして**「あなたはどうしたいのか」**、そして**「そのためにはなにが必要か」**、です。

あなたは、「私にそんなことわかるわけないよ！」と思うかもしれませんね。

もちろん本当のところはわかりません。あなたには推測しかできません。

ところが、2時間かけて事実を書いてきたあなたは、不思議と真実に近いことがわかってしまうのです。

今までいろいろな女性から恋愛相談を受けてきて、彼女たちから幾度となく聞いた言葉があります。あれこれ彼とのことを洗いざらい聞きだすと、私がアドバイスをしなくても、彼女たちは最後にこういうのです。**「私、本当は、わかってるの……」**。

そして、「彼は私が好きだけど、それを出すのが怖いの」「彼は私と仲のよい友達でいたいの」「彼は私から誘われればくるけど、それだけなの」などと答えをいいだすのです。

事実を書き出したあとなら、もっと冷静に他人の話のように、あなたは驚くほど正しく分析できるようになっています。

ちなみにこれは男性にはできないことです。**女性は男性のことがわかりますが、男性は女性がわかりません。**だから多くの男性は、自分に都合のいい、的外れな分析ばかりをします。

恋愛で頭がぐちゃぐちゃになってしまっているあなたは、その時々によって、「あなたはどうなりたいのか」「あなたはどうしたいのか」がブレまくっています。

そのブレは、モーニングページに心のまま書くことでなくなっていきますが、さらにこの年表で、あなたの行動のブレが客観的に見られます。

「ああ、これでは彼も、私がどうしたいのかわからなくて混乱するはずだわ」などと、彼の立場でもさまざまなことが見えるようになるのです。

あなたの恋愛をかなえるために、現状を把握し、心を冷静にする効果は絶大です。

たったの2時間です。ノートとペンを用意して、一回やってみてください！

8　勝負に負けない究極の手だて

これまであなたの恋がうまくいくための、私が知るかぎりのすべてをお話してきました。もしよければ……最後にこんな、究極のお話におつきあいくださいね。

本当の小悪魔オブ小悪魔は超ステータスが高いので、かりに体の関係をもっていても、男性に縛られたくない、つきあいたくなんかなくて、男性のほうに「おれってなに?」「こいつをおれだけのものにしたい、彼女にしたい」とせつなく狂おしく思わせます。

遊び人のトレーダーいわく「ほんとにモテる女はめちゃめちゃ甘えてきて、別れぎわに『電話してね!』じゃなくて『電話するね!』という。連絡や誘いを待つんじゃなくて、全部彼女のペースで動く。そうやって彼女が振り回す男をたくさんもっている」とのこと。

彼から返事がきたのが3日後だったから5日後に返してやろう、などと思っている時点で、彼にたいして必死に駆け引きして、ステータスを高く見せよう見せようとしていて、じつはステータスが低いのです。まだまだせこくて小さいのです。

もしも「ふられること」「低く見られること」などのすべての結果にたいして「どうでもいい」と高ステータスでいられたら、メールを返せるなら1秒後に返せばいいのです。彼をじらすため丸一日待っているほど必死ではないから。

そして、「私がこうしたいからこうするんだ」という覚悟と責任と自信があれば、かりに好きな人に土下座しても、泣いて阿修羅のように感情をぶつけてもいいのです。

結果がどうなってもいい！　と本当に思えたら、してはいけないことなどなくなります。

さらに究極は、すべてにたいしてあなたが最高ステータスになることです。

きらわれる不安にたいして、必死になっている恥ずかしさにたいしてステータスが高くなれば、「私、必死だなあ」と思っても、べつにその必死さをなくそうと思わないのです。

不安があってもその不安を消そうとしないで、そのままにしておけるのです。

禅問答のようですが、不安にたいしてもあなたのステータスのほうが高いのです（笑）。

そして、彼にウソをつかれても浮気されても、けっして被害者にはなりません。

なぜならだれもあなたを傷つけ、被害者にすることなんてできないから。

勝負に絶対に負けない方法。なんだと思いますか？　答えは、「勝負しないこと」。

ここまでくると、恋愛の悩みなどもう存在しません。

あなたが「私はあなたが好き。私は一人でいても楽しくて幸せ」の定義そのものになってしまうのですね☆チャンチャン♪

おわりに　もうワンステップ上の絆を築こう！

……この世は「なるようにしかならない」ことも、たくさんあります。

子どもがほしくても、どうしてもできない人がいます。

子どもがほしくないのにできて、おろしてしまう人もいます。

「思いどおりにならなくてつらい」。多くの人間がこう思って生きています。

数日前、ふと思いました。「……じゃあ、思わなければいいんじゃない?」。

「思い」がなければ、「思いどおりにならない」もないよね、と。

あえて願いをもたず、「今」「できること」「したいこと」「すべきこと」をしていれば、あとは勝手になるようになっていきます。もしあなたが心からの願いを生きていたら、あなたが「今」になり、あなたと願いは一つになって、あなたが「願いそのもの」になります。

この状態はなんとなく、スポーツ選手が集中状態で、自分の能力を出しきって無心になっているときに似ているような気がします。「ボールが止まって見える」というような。あなたも、「仕事に夢中になって、われを忘れてのめりこんだ」「友達とのおしゃべりがあまりに楽しくて、時間が消えていた」。そんな不思議な感覚を味わった経験はありませんか？

こうなると、それだけで幸せで満たされていて、すべての結果を受け入れられるのです。「ああ、もがいていても、安らいでいても、私でいたくても、いたくなくても、私はただ私であるだけなんだ。これはゆるぎないんだ」。それに気づいたとき、心の底から安心します。あなたが、あなた以外のなににもなろうとしなくなったとき、願いもなくなり、満たされ、その上で「こうだったらいいな」と思うことはかないますし、かなわなくてももっと素晴らしいことがおこります。

このときに、あなたの存在は「私はあなたが好き。私は一人でいても楽しくて幸せ」そのものになっていて、すべてはあなたに魅了されてやまないでしょう。

ANNA

ムリめの彼・気のない彼・愛が冷めた彼

大好《だいす》きな人《ひと》が振《ふ》り向《む》いてくれる本《ほん》

2009年 3月29日　初版発行
2018年 6月14日　23刷発行

著　者……ANNA《アンナ》
発行者……大和謙二
発行所……株式会社大和出版
東京都文京区音羽1-26-11　〒112-0013
電話　営業部03-5978-8121／編集部03-5978-8131
http://www.daiwashuppan.com
印刷所……信毎書籍印刷株式会社
製本所……ナショナル製本協同組合
装幀者……長坂勇司

ISBN978-4-8047-0402-9